킨교스쿠이

킨교스쿠이

발　행 | 2024년 01월 05일
저　자 | 여진
펴낸이 | 한건희
펴낸곳 | 주식회사 부크크
출판사등록 | 2014.07.15.(제2014-16호)
주　소 | 서울특별시 금천구 가산디지털1로 119 SK트윈타워 A동 305호
전　화 | 1670-8316
이메일 | info@bookk.co.kr

ISBN | 979-11-410-6469-3

www.bookk.co.kr

킨교스쿠이

여진 지음

CONTENT

제 1 화

오늘은 출근하던 와중 비가 내리기 시작했다. 아침에 시간이 남아 일기예보를 봐둔 덕에 다행히 우산을 챙겨서 우산을 쓰고 다시 걷기 시작했다. 회사에 도착해 일을 하고 있던 도중 팀장이 몇몇 사람들을 불러 모았다. 얼마나 회사에 있었든지 상관없이 불렀기에 모두 무슨 일인가 하며 궁금해하고 걱정하였다. 조금씩 웅성거림이 커지기 시작할 때 모두 다 모였기에 팀장님이 입을 열었다.

"이번에 칼럼 쓰는 분이 사정이 생겨 못쓴다고 하고 사람을 새로 구하기에는 다들 시간이 너무 촉박하다네요."

"혹시 학창 시절을 주제로 써볼 사람 있나요?"

그렇다. 나는 잡지 회사에 다닌다. 우리 잡지는 단편 소설 같은 칼럼을 써서 주는 분이 존재했다. 하지만 이번엔 안된다라.. 이번호에는 반드시 칼럼이 들어가야 해서 누군가는 써야 할 터이지만 다들 하기 싫어 눈치를 보는 모양이었다. 그걸 눈치챘는지 팀장님이 다시 입을 열었다.

"도하 씨, 예전에 글 좀 썼다고 하지 않았나요?"

이 말을 들은 사람들이 이때다 싶었는지 내가 쓰는 분위기로 몰아가기 시작했다. 예전에 내가 글을 썼다지만 글을 쓰는 것을 관둔 것이 이미 오래인데.. 그렇다고 여기서 안 된다고 하기엔 주변에 있는 사람들이 모두 싫다고 하지 말라는 눈치를 보내고 있었기에 결국 수락할 수밖에 없었다. 내가 수락하자마자 팀장님은 싱긋 웃었다.

"그럼 20일까지 초본 주길 바라요."

"네"

겉으로는 웃으며 대답했다. 하지만 자리로 돌아가면서는 20일까지 17일밖에 남지 않았는데 이때 동안 다 쓸 수 있을까라는 고민으로 가득 차 있었지만 이미 내가 하기로 정해져 버린 일이라 생각하니 바로 다른 고민으로 바뀌어버렸다. 학창시절이라.. 어떤 걸 써야 할지라는 고민으로 바뀌었다. 고민하다보니 벌써 퇴근시간이 다가왔다. 할 일을 다 끝냈음에도 불구하고 칼럼이란 숙제가 남아있었지만 일단 내일은 주말이니깐 일단 쉬자는 생각으로 일단 편의점에서 캔맥주를 사서 집으로 향했다. 편안한 옷으로 갈아입고, 침대 위에 있던 인형을 끌어안고, 최근 나온 영화를 틀고, 맥주를 따르고, 나의 유일한 힐링 시간이다. 영화를 보며 맥주를 마시고 있음에도 불구하고 칼럼에 대한 고민이 역시 머릿속에서 떠나가질 않았다. 그렇게 영화가 끝났지만 심란한 마음때문인지 영화의 내용이 제대로 기억나진 않았다. 그대로 침대에 누워 잠을 청하려던 그때, 폰이 울렸다. 고등학교 동창회 소식이었다. 대학교도 졸업했겠다 한번 만나자는 것이었다. 이번 칼럼 일도 있고, 고등학교 졸업 이후로 고등학교 동창회를 간 적도 없고, 한번 가봐야겠다라는 생각을 하고 있었다. 그때, 하나의 문장이 나의 눈에 꽂혔다. 이번 동창회에는 지환이도 온다는 것이었다. 지환이, 오랜만에 듣는 이름이었다. 고등학교 2학년 때 전학 온 지환이는 그 당시 우리 학교에 작은 소란을 일으켰다. 정확히 말하자면 하프였지만 혼혈이 전학 왔다는 것도 소란의 이유 중 하나였지만 역시 가장 큰 이유는 외모였을 것이다. 찬란한 금색 머리칼에 홀릴 것만 같은 맑은 푸른 눈동자, 사람의 외모를 잘 기억하지 못하는 사람도 기억할 수 있을 정도로 아름다운 외모를 갖고 있었다. 나는 지환이의 옆자리였기에 종종 이야기를 나누곤 했는데 특히 방과 후에, 저물어 가는 햇빛에 비친 찬란하게 빛나는 머리칼과 맑은 눈동자가 너무나 아름다웠다. 사실 지환이와의 이야기를 칼럼으로 쓰면 그에 붙는 해시태그들이 사람들의 이목을 끄는 데에 좋을 것 같아 고민하였지만 '첫사랑' 이야기는 쉽게 다룰 수 있는 주제였기에 고민이 되었다. 그러던 때, 또 하나의 문장이 나의 눈에 꽂혀버렸다.

"하민이도 온대"

나는 순간 얼굴이 화끈해졌다. 나의 첫사랑이라고 할 수 있는 하민이는 하얀 피부에 대비되듯 칠흑 같은 머리칼과 눈동자를 가지고 있었다. 만약 백설공주가 남자였다면 이런 모습일까 싶은 외모를 가지고 있었다. 학창 시절 생각을 하니 다들 변했을지 궁금해지기 시작했다. 예전에 하민이는 굉장히 친절한 사람이었는데도 불구하고 칼 같고 단정한 교복 때문이었는지 왠지 모르게 다가가기 어려운 분위기를 내뿜고 있었는데 그 분위기가 사복을 입는 지금은 달라졌는지 아니면 똑같을지. 반면 지환이는 자유분방한 성격을 지닌 사람이었는데 지금은 단정해졌을지 궁금증이 생겼다. 이들밖에 생각이 나지 않는 건 아마 그들의 인상이 나에게 강렬했기 때문일 것이다. 그렇게 나는 추억 회상을 하다가 점점 정신이 아득해져 잠이 들었다. 눈을 뜬 건 10시쯤이었다. 어제 온 연락들을 보긴 했지만 언제 몇 시에 만나는지는 잠들기 전엔 정해지지 않았으니 다시 연락을 보았다. 다다음주 금요일, 10시에 만나기로 했다는 연락을 보게 되었고, 그 밑에 있던 연락도 보게 되었다. 바로 지환이의 연락이었다.

"안녕, 오랜만이야"

곧바로 그에 대한 답장을 보냈다.

"그러게, 잘 지냈어?"

나의 연락을 기다렸다는 듯이 답장이 바로 왔다.

"나야 잘 지냈지"

"넌 잘 지냈어?"

답장을 받았을 때 지환이의 프로필을 보고 있었지만 바로 답
장하지 않고 시간이 조금 지난 후에 답장을 보냈다. 프로필에는
예전과 똑같이 자유분방한 모습을 하고 있는 듯하였다. 지환이
의 프로필을 한참 구경하다가 슬슬 씻기로 하여 화장실로 들어
갔다. 지환이의 변함없어 보이는 프로필을 보아서 그런가 거울
속에 비친 나는 그때와는 너무나 달라져 보였다. 외형도 외형이
지만 사회에서 살아남기 위해 성격을 모조리 뜯어고쳐야 했었
다. 표정부터 말투 사소한 버릇까지 모든 게 다 바뀌어 버렸단
생각을 하니 머리가 어지러워졌다. 머리를 어지럽게 만든 잡념
들을 다 흘려내려버리자라고 생각하며 샤워기 물을 틀었다. 하
지만 잡념들은 사라지지 않았고 화장실을 나오자마자 폰을 봤
다. 평소 씻는 시간보다 오버된 시간 밑으로 알림들이 쌓여있었
다. 하나는 내가 씻기 전에 읽지 않고 대답도 하지 않은 지환이
의 연락, 하나는 하민이의 연락이었다.

 "도하야 뭐 하고 있어?"

 하민이에게 연락이 올 거라곤 상상도 하지 못했던 나는 꽤나
당황스러웠다.

 "방금 씻고 나왔어"

 바로 답장을 보냈지만, 하민이에게 빠르게 답장이 올거라 기
대도 하지 않고 지환이의 연락에 집중하려던 순간, 알림이 울렸
다. 하민이의 연락이었다.

 "요즘은 잘 지내지?"

 지환이의 변하지 않은 모습 때문이었을까 하민이의 모르는 모

습들을 보니 내가 아는 예전의 하민이와는 많이 달라졌다고 새삼 느끼게 되었다. 시간도 많이 지났을 터인데 왜 예전과 똑같을 거라 생각했을까..

"당연히 잘 지내고 있지"

"너는?"

"나도 잘 지내고 있지"

그렇게 연락을 주고받던 도중 동창회에 올 거냐고 하민이가 나에게 물었다. 여태껏 동창회에 나오지도 않고 연락을 먼저 하는 애도 아니었는데 보지 못한 몇 년의 시간 속에서 하민이도 많이 바뀌게 되었구나 싶었다. 동창회에 갈거라는 답장에 기다렸다는듯이 하민이는 주말에 시간이 되는지 나에게 물어보았다. 오늘은 늦었기에 내일은 시간이 있다고 이야기하자 약간 고민했는지 답장이 조금은 늦게 왔다.

"그럼, 그날 잠깐 만날래?"

"그래"

분명 스케줄 확인을 한 후 알려주겠다고 할 생각이었는데 이미 대답을 하였고 약속하였으니 갑작스럽지만 만날 수밖에 없었다. 그럼에도 하민이와 오랜만에 만난다고 생각하니 조금씩 들뜨기 시작했다.

"몇 시에 만날래?"

"한 5시쯤 어때?"

"좋아, 그럼 어디서 볼래?"

"너 어디 사는데?"

"대치동쪽"

"그럼 한ㅡ카페에서 볼래?"

"그래"

그렇게 하민이와의 연락이 끝나니 그 때문에 잊고 있었던 지환이의 연락이 생각이 났다.

"방금 씻고 나왔어"

씻고 나온 지는 좀 되었지만 솔직하게 이야기하기엔 자신의 연락을 싫어하는 것 같아 기분 나빠 할 수도 있으니 어쩔 수 없는 답장이었다. 몇 분 딴짓을 하고 있을 때 지환이에게서 연락이 왔다.

"너무 오래 씻는거 아니야?"

"원래 이 정도는 다들 씻지 않아?"

정곡이 찔렸지만 어쩔 수 없었다.

"도하 너도 동창회 올 거야?"

"응, 너도 온다며"

"맞아, 오랜만에 보겠네"

"그러게나 말이야"

"그럼, 그때 보자"

"그래"

나의 이 단어 하나를 끝으로 우리의 연락은 끝이 났다. 침대에 아무것도 하지 않고 가만히 누워있으니 내일 무엇을 입을지 고민이 되기 시작했다. 할 것도 없겠다 나는 바로 일어나 옷장을 뒤지기 시작했다. 한 옷, 한 옷 보다 보니 나에게 옷이 얼마

없다는 것을 느꼈다. 하지만 지금 옷을 사러 가거나 인터넷으로 시키는 것도 무리가 있었기 때문에 집에 있는 옷들로 정하기 시작했다. 두 시간쯤 지났을 때 나는 얇은 아이보리색의 얇은 민무늬 긴 팔과 위엔 가디건을, 그리고 화이트 롱스커트를 입기로 하였다. 그렇게 내일을 생각하며 잠이 들었다.

아침 8시에 나도 모르게 눈이 떠졌다. 아마 오늘 어떡할지 너무 생각한 탓인 것 같다. 일찍 일어난 김에 천천히 준비하기로 하고 씻으러 화장실에 들어갔다. 화장실에서 나오고 아침을 먹기 위해 즉석밥을 전자레인지에 돌리며 심심함을 달랠 겸 폰을 들여다보니 알림이 몇 개가 와 있었다. 일어났냐는 하민이의 연락이었다. 학창 시절 하민이와의 약속 전날 기대가 되었던 탓에 늦게 잠들어 가끔 늦잠을 잤었기에 약속 시간에 늦은 적이 있기에 하민이와 약속이 있을 땐 항상 하민이가 깨워주기로 했던 적이 있다. 아직도 그때의 약속을 기억해서 연락을 한것인지 그냥 우연인지 알 순 없었지만 그래도 꽤 오래전 일인데도 기억해 주는 것이 하민이 답다는 생각이 들었다.

"나 오늘 좀 일찍 일어나서 지금 씻고 나왔어"

"다행이네, 약속 시간 늦지 마"

장난 섞인 하민이의 답장에 나는 피식하고 웃음이 새어 나왔지만, 늦지 말라는 말 때문이었을까 준비하는 속도가 조금 빨라졌다. 검색해 보았을 때 한ㅡ카페와 우리 집의 거리는 걸어서 약 30분 거리이다. 화장을 다 끝마쳤을 땐 3시였기에 아직 시간이 많이 남았지만 먼저 가 있어도 나쁘지 않을 것 같기에 옷을 입고 출발을 하였다. 밖을 나가 한 발 한 발 내디딜 때마다 걱정과 설렘이 동시에 몰려왔다. 하지만 하민이를 만난다는 설렘이 걱정을 점점 잊게 하였고 나중엔 설렘만이 가득하였다. 30분 정도 걸었을 때 나는 카페 문 앞에서 하민이와 마주쳤다.

"오늘은 안 늦었네"

"오늘 일찍 일어났다니까, 그리고 오늘은 좀 늦게 만났잖아.."

우리는 내가 생각했던 것과 같이 어색한 기류가 흘렀다. 하민이와 내가 그동안 바뀌었다고 해도 성격이 완벽하게까지 바뀌진 않은 것 같아 이 상황이 마냥 싫지만은 않았다. 그렇게 우리는 카페 안으로 들어가 나는 카페라떼를, 하민이는 아메리카노를 시켰다. 학창 시절 하민이와 처음으로 갔었던 카페가 기억났다. 그때 그곳도 분위기가 정말 좋은 가게였는데란 생각에 잠겨있던 와중 하민이가 침묵을 깨고 입을 열었다.

"내가 왜 오늘 만나자고 했는지 알아?"

"아니, 왜 만나자고 했는데?"

하민이는 어물쩍거리다 입을 열었다.

"나랑 술 마셔주면 알려줄게"라며 고개를 약간 기울이고 싱긋 웃으며 말하였다. 의도한건지 아닌지는 모르겠지만 나에게 부탁할때마다 하던 행동이었다.

"그냥 알려주면 안 돼?"

그 말을 듣더니 하민이는 장난기가 가득하게 웃으며 대답하였다.

"그러면 재미없잖아"

갑작스러운 태도에 얼굴이 화끈해진 난 일부러 아무렇지 않은 척 덤덤하게 말하였다.

"그러면 그냥 계속 궁금한 채로 살게"

하민이는 시무룩한 표정으로 대답하였다.

"그냥 오랜만에 만나서 밥도 먹고 싶었을 뿐인데.."

하민이는 꽤나 날카롭게 생겼지만 자신이 마음은 연 상대에게는 마치 강아지 같았다. 나는 항상 하민이의 이런 모습에 정말 약했다. 그렇게 나는 작게 속삭이듯 말했다.

"술 마시러 가자"

이 한마디에 하민이는 기분이 좋은 듯 계속 입꼬리가 올라가 있었다. 오랜만에 만난 우리는 말을 어느 정도 말을 트니 서로 편해진 듯한 기류가 보이기 시작했다. 그렇게 이야기를 나누다 보니 지금의 하민이가 어떻게 사는지 알게 되었다. 하민이는 포토그래퍼가 되어있었다. 전부터 사진 찍는 걸 좋아하고 잘 찍는다는 걸 알고 있었는데 그렇다고 포토그래퍼가 되었다니 뜻밖이었다. 하민이는 나를 지긋이 보더니 말을 꺼냈다.

"뜻밖이지?"

내가 표정을 제대로 숨기지 못해 한 말인 것 같아 놀랐다.

"솔직히 말해선 그렇지"

하민이는 잠시 머뭇거리는 듯하더니 다시 입을 열었다.

"원래는 그냥 부모님들 뜻 따라서 공무원이나 하려고 했는데 아무래도 사진에 대한 미련을 못 버리겠더라고 그래서 부모님 설득해서 학과를 사진학과로 변경했어."

나는 가슴이 약간 울렁거렸다. 무슨 기분인지 모르겠지만 그럼에도 하민이가 하고 싶은 것을 한다는 것에 대해 기쁜 마음이 있긴 하였다. 그래서 그런지 나는 약간 미소를 지으며 말했다. 하민이가 포토그래퍼라면 언젠가 우리 회사와 작업을 같이 할수도 있을거란 생각을 했다.

"다행이네, 포토그래퍼 하고싶어 했잖아."

이 말을 듣더니 하민이는 약간 놀란 표정을 짓더니 금방 편안한 듯한 듯한 미소를 지으며 말하였다.

"응, 고마워!"

하민이는 세련되지만, 그 안에 농축된 감성이 담겨있는 사진을 찍기에 누구나 탐나는 인재일 것이다. 아직 알려지지 않았을 때 미리 선수 쳐놔야겠다는 생각도 들었다. 그렇게 슬슬 음료도 바닥을 보이고 있었고 우리는 그 상태로 밖으로 나가 저녁을 먹으러, 술을 마시러 가기로 하였다. 어디로 갈 건지 정하고 나온 건 아니었기에 거리를 걸어 다니며 어디로 갈지 정하기로 하였다.

"하민아 뭐 먹을래?"

"그러게, 도하 넌 뭐 먹고 싶은거 있어?"

"난 딱히 없는데, 넌?"

"나도.."

이런 대화만 하던 도중 우리는 근처 덮밥 가게로 들어갔다. 덮밥을 먹는 동안 우리는 다시 처음 만난 듯 조용하게 있었다. 이 어색해진 기류를 빨리 없애고 싶었기에 최대한 빠르게 먹었다. 그렇게 후다닥 먹고 밖을 나와 근처에 있던 치킨 호프집으로 향했다. 나는 평소에도 뼈가 있는 치킨을 별로 좋아하지 않기도 했고 하민이의 앞에서 뼈를 발라 먹는다는 것을 피하고 싶다는 생각에 순살을 시키려는 때에 하민이가 먼저 말을 꺼내었다. 아마 하민이도 나와 같은 생각이었을 것이다. 일단 우리 둘다 앞에 앉아있는 사람이 이성이란 생각이 들고 있었기 때문일 것이다. 그렇게 시킨 음식들이 모두 나오고 나는 만나자고 한이유를 듣기 위해 입을 열었다.

"오늘 왜 만나자고 했어?"

하민이는 잠시 고민하는 듯 보이더니 입을 열었다.

"그냥?"

약간의 화가 올라오는 듯하였지만 하민이가 또다시 입을 열기에 조용히 하고 하민이의 말을 돌렸디.

"솔직하게 나 고등학생 때 맘 놓고 어느 정도 내 얘기 한 사람은 너뿐이었거든 그래서 동창회 가서 이것저것 듣는 것보단 그전 미리 만나서 너랑 이야기하고 싶기도 했고 동창회가선 제대로 이야기도 못 할 것 같아서 오늘 만나자고 한 거야"

하민이는 이 말을 하며 쓸쓸하면서도 시원한 듯한 표정을 지었다. 그리고 나 또한 그동안 만나지 못하고 지난 세월이 확 느껴지는 듯하였다.

"그렇지, 오늘 만나지 않았다면 우리 별로 얘기도 못 하고 그냥 동창회가 끝났을 테니까."

아마 동창회에서도 하민이와 나 둘 다 본인의 이야기를 제대로 않았을 거기에 우리는 그냥 얼굴만 보고 예전에 친했던 스쳐 지나갔을 수도 있었다.

그렇게 우리는 별로 시답지 않은 이야기들로 웃고 또 웃으며 행복하게 각자 집에 들어가는 걸로 하였다.

집에 가는 도중 그냥 아무 생각 없이 하늘을 보았다. 그저 까만 하늘에 커다란 달 하나만 보일 뿐이었지만 그래도 저 달을 보며 하민이와 하교하는 하나의 추억처럼 보였기에 나는 그저 추억에 빠져 걷기 시작했다.

한 걸음, 한 걸음 집에 점점 가까워졌다. 집에 가까워질수록 추억 속에 잠겨있던 나는 현실과 점점 가까워지는 것 같은 기분을 느꼈다.

집에 도착하자마자 나는 씻고 노트북 앞에 앉았다. 무언가 써볼까란 생각으로 노트북 앞에 앉았지만, 한 줄 정도 쓰고 더 이상 써지지 않았기에 노트북을 덮으려던 순간 예전에 재미로 썼던 생각이 났기에 노트북에 있는 나의 예전 글을 열어보았다. 거기엔 예전 나의 로망이나 취향을 가득 담은 정말 즐겁게 쓴 글이 들어있었다. 사실 나도 회사를 다니며 일을 하는 것보단 내가 즐겁게 할 수 있는 직업을 갖고 싶었다. 그런 생각들을 하다 보니 나는 그 시절과는 다른 현재의 나만의 글을 쓰고 싶어졌다. 그렇게 다시 한 글자 한 글자씩 써내려 가기 시작했다. 오랜만에 느끼는 즐거움이었다. 차근차근 내가 전하고 싶은 이야기들을 이 하나의 이야기로 쓴다는 것이 내게 가장 흥미롭게 다가왔기에 난 글을 쓰는 것을 좋아했다. 물론 성인이 되기 전에도 성인 된 후에도 나의 꿈은 소설가가 되는 것이었다. 회사에서 일을 하기 시작한 초반에는 꿈을 잃지 않고 계속 글을 써 내려갔다. 하지만 그것도 잠시였으며 사회생활에 치여 살아가다 보니 그 꿈은 잊고 그에 대한 행복감도 잃어버렸다. 하지만 오늘 하민이를 만난 덕인지 모든 것이 다시 생각나는 기분이었다. 그리고 오늘 내가 편안하고 즐겁게 글을 다시 써본 덕분인지 칼럼에 대한 일도 어딘가 모르게 편안해졌다. 그렇게 나는 시간이 가는 줄도 모르고 계속해서 글을 써 내려가다 꽤나 많이 지난 시간을 보곤 내일 회사도 가야 하니 슬슬 잠을 자기로 했다.

매일 똑같은 아침이 또다시 밝았다. 똑같이 회사에 출근한다. 약간 다른 점이 있다면 내가 받는 일의 양이 조금 달라졌다는 것이다. 그래도 그 덕에 회사에서 어느 정도 숨을 돌릴 수 있어 좋았다. 그렇게 며칠이 지나고 동창회가 4일 정도 남게 되었다. 그날 나는 오랜만에 상사에게 불려 갔다.

"도하씨, 싱어송라이터 지환 알아요?"

상사가 나에게 건넨 말은 정말 뜬금없는 이름이었다.

"제가 아는 사람은 아닌 것 같아요."

지환이는 음치 박치도 아니었고 음색마저 좋았지만, 노래를 그다지 잘하지는 않았기에 싱어송라이터는 아니라 생각했다. 하지만 상사는 정말 모르냐며 나에게 지환이의 사진을 보여주면서 다시 물어봤다.

"고등학교 동창이에요"

나는 놀란 것을 숨기지 못하고 말하였다. 상사는 지환이와 고등학교 동창이라는 나의 이야기를 듣더니 만족한 표정을 짓고는 나에게 다시 자리로 가보아도 좋다고 하였다.

자리에 돌아온 나는 지환이에 대한 것들을 찾아보기 시작했다. 옆자리에 앉아있던 직장동료인 가은 씨는 내가 지환이를 찾아보는 걸 보더니 나에게 조용하게 물었다.

"도하씨도 지환이 좋아해요?"

"아뇨, 가은 씨는 지환이 좋아해요?"

"네, 최근에 빠지게 됐어요"

이 말을 기점으로 가은 씨는 나에게 지환이에 대해 이야기하기 시작했다. 지환이가 데뷔를 한 지 얼마 되지 않았지만, 수려한 외모로 팬들이 많은 것 거기다가 노래도 좋고 음색 또한 좋아 팬층이 탄탄한 것 그리고 팬서비스도 많고 가끔 깊은 마음씨가 나오는 것까지 알게 되었다. 그날 점심시간에 나는 옥상에 올라가 하늘을 보았다. 지환이는 이제 막 데뷔했지만, 꽤나 인기 있는 싱어송라이터, 하민이는 인기는 많지 않지만, 자신이 즐거워 사진을 찍는 일을 하는 포토그래퍼. 이렇게 생각하고 있자니 나는 여태껏 이렇게 살아온 것에 대해 의문이 조금씩 들기 시작했다.

"도하 씨 여기서 뭐 해요?"

가은 씨의 목소리였다.

"그냥 바람 쐬러 나왔어요. 벌써 점심시간 끝났어요?"

"아뇨, 저도 그냥 바람 쐬러 나왔는데 도하 씨가 있길래 불러봤죠!"

"통했네요."

"그러게요." 우리는 그렇게 잠시동안 정적이 되었다. 그 정적을 깬 건 가은 씨였다.

"지환이 노래 들어보지 않을래요?"

지환이의 노래를 마지막으로 들어본 건 고등학교 때 같이 노래방에 갔을 때였다. 얼마나 변했을지 궁금해졌다.

"네, 들어보래요."

가은 씨는 노래를 틀며 장난 섞인 말을 하였다.

"도하씨마저 지환이한테 빠지면 안 되는데"

그렇게 지환이의 노래가 흘러나오기 시작했다. 처음 반주곡은 잔잔한 멜로디가 흘러나왔다. 점점 지환이의 목소리가 나오더니 어느 순간 노래가 마지막 멜로디가 흐르며 끝이 났다.

"도하 씨, 어땠어요?"

굉장히 반짝거리는 눈으로 나에게 물어봤다.

"좋았어요"

솔직하게 정말 좋은 노래였다. 하지만 지환이의 음색에 맞는 곡이었기에 이렇게 아름다운 곡이 나온 것 같다는 생각이 들었다.

그렇게 점심시간이 끝나고 우리는 자리로 돌아왔다. 칼럼에 대한 생각이 잠시 머리에 스쳤지만, 옆에 쌓여있는 일거리들을 보곤 지금 아무것도 못 할 바엔 다른 일이라도 일단 끝내버리자는 생각으로 일을 하기 시작했다. 나는 다른 생각을 접기 위해서 평소보다 더욱 집중해서 일을 하다 보니 금세 퇴근 시간이

다가왔다. 그렇게 하루 이틀 아무것도 정하지 못한 상태로 일만
하다 보니 벌써 동창회 날이 코앞으로 다가왔다. 퇴근이 6시니
깐 8시까진 여유 있어 일찍 도착할 수 있지만 일찍 가서 기다
리기는 기분이 별로였기에 회사 근처 카페에서 글을 좀 쓰고 가
기로 하였다. 물론 칼럼에 대해서 정한 것은 아무것도 없었지만
내가 쓰고 싶은 글을 조금씩 써 보는 것도 칼럼을 쓰는 데 도
움이 될 거라 생각했기에 결정한 선택이다. 하지만 가장 문제는
옷이었다. 회사도 갔다가 가는 것이라 더욱 고민되었지만, 순간
문득 어차피 잘 보일 상대도 없다는 생각이 들었다. 그렇기에
청바지에 흰 티에 자켓 하나 입고 가기로 하였다. 깔끔하기도
하고 원래 자주 입는 스타일이었기에 회사에 갈 때 부담스럽지
않을 것이었다. 그렇게 동창회날 아침이 되었다. 평소보다 조금
더 일찍 일어나 기초부터 꼼꼼하게 화장을 하기 시작했다. 오랜
만에 하는 화장이었지만 그럼에도 어찌저찌 끝냈다. 하지만 역
시 볼 터치까지는 너무 과했던 것 그 후 어제 정해둔 옷을 입
고 수정화장품들을 챙겨 집 밖을 나갔다. 그렇게 걷고 걷고 걸
어 회사에 도착해 일을 하기 시작했다. 점심시간쯤 되었을 때
난 꽤나 피곤했다. 아마 아침 일찍 일어난 탓일 것이다. 내가
옆에서 피곤했던 걸 알았는지 가은 씨가 커피를 들고 나타났다.
가끔 같이 카페에서 마주쳤었는데 그때 내가 시켰던 커피를 기
억했는지 내가 좋아하는 커피를 건네주었다. 커피를 고맙다고
받고 커피를 마시고 있던 순간 가은 씨가 나에게 말을 걸었다.

　"도하 씨 오늘 어디 가요?"

이 말을 들을 줄 알았다. 평소에는 선크림과 눈썹, 틴트만 바르고 다녔으니 화장한 모습을 보곤 저렇게 물어볼 줄 알았다.

"혹시 말 못 하는 거였나요?"

"아뇨, 그냥 동창회 가요."

"도하씨도 그런데 가시는구나"

나는 어색하게 웃으며 대답하였다.

"원래는 안 갔는데 이번에 친한 애들이 온다고 그래서요"

그렇게 대화도 점심시간도 끝이 났다. 점심시간이 끝나곤 그 누구에게도 방해받고 싶지 않아 조금 쌓여있던 일거리들을 빠르게 처리하기 시작했다. 그렇게 퇴근 시간을 삼십 분 앞두고 할 일들이 다 사라져버렸다. 남은 삼십 분을 어떻게 채울까 고민하다가 앱을 켜 글을 써보려고 시도해보았다. 계속 고민하고 고민하다가 일단 무작정 쓰기 시작했다. 그렇게 한 열 줄 썼을 때 퇴근 시간이 되어 퇴근을 하고 근처 카페에서 카라멜 마끼야또를 시켜 마시며 노트북으로 심심풀이로 쓰던 글을 계속 쓰기 시작했다. 그렇게 한 40분쯤 지났을 때 누군가 내 어깨를 쳤다. 나는 회사 근처이니 가은 씨라고 생각하고 뒤를 보았다. 하지만 내 뒤에 있던건 지환이었다.

"오랜만이네, 옆에 앉아도 되지?"

너무 놀랐던 나머지 어정쩡하게 대답을 하게 되었다.

"어, 앉아"

내 옆에 앉은 지환이는 다시 말을 꺼내기 시작했다.

"글 다시 쓰는 거야?"

"아니"

"그럼 지금 쓰고 있는 건 뭐야?"

"그냥 심심풀이랄까"

"그럼 취미?"

"뭐, 그런 느낌이지"

이 마지막 한마디를 들은 지환이는 옅게 미소 짓더니 작게 말을 하였다.

"그래도 다시 쓰는 거 보니까 좋다"

나는 그 말을 들었지만 다시 한번 물어보았다. 하지만 지환이는 다시 말해주지 않고 아무것도 아니라며 넘겨버린 후 지환이와 나 둘 다 조용해졌다. 그렇게 어색한 기류가 싫은 나머지 나는 지환이와 대화하기 위해 노트북을 닫으며 말을 걸었다.

"너 노래 부른다며"

"너 나 찾아본 거야?"

"아니, 회사 동료가 팬이라면서 보길래 알게 됐어."

이 말을 들은 지환이는 고개를 숙이며 부끄럽다고 말하였다. 그런 지환이를 보고 나는 지환이에게 목소리가 너무 좋았다고 이야기 하며 지환이의 노래를 들은 나의 감상을 지환이에게 말하였다. 물론 칭찬들만 그렇다고 지환이의 노래에 딱히 단점이 있었던 것은 아니었다. 그렇게 지환이에 대한 칭찬이 끝나자 지환이의 귀는 빨갛게 익어있었고 나를 빤히 바라보고 있었다. 그렇게 지환이는 머뭇거리다 입을 뗐다.

"고마워"

"딱히 고마워 안 해도 돼"

"응"

어색해지려는 찰나 지환이가 따로 차를 갖고 왔다며 괜찮다면 같이 타고 가자고 하여 같이 타고 가기로 하였다. 같이 타고 갔다가 귀찮은 일이 일어날까 봐 고민하였지만 이미 대화도 나눴고 가는 길도 같으니 같이 타고 가기로 했다. 그렇게 시간이 지나 슬슬 카페에서 나와 지환이의 차를 타고 출발하였다. 차에 타자 또 다시 어색한 기류가 흘렀지만, 동창회를 하기로 한 가게가 카페에서 가까웠기에 다행히 금방 차에서 내리게 되었다. 그렇게 지환이와 연달아 가게에 들어가게 되었다. 들어가자마자 아니나 다를까 모인 애들끼리 약간 웅성거리기 시작했다. 나는 웅성거림을 뒤로하고 빈자리를 찾아 앉았다. 앉아서 조금 쉬려던 찰나 듣기 싫은 목소리가 들렸다.

"야 오도하 오랜만이다?"

그 목소리의 주인은 최민식이었다. 입은 싼 데다 이런저런 안 좋은 소문들을 듣곤 옆에서 과장하여 들들 볶으면서 깐족대는 애였다. 여기에 왜 가장 사람이 없나 했더니 이민식 때문이었다. 그냥 무시하고 싶지만, 같은 테이블에 앉았기도 하고 시간이 꽤 지났으니 사람이 좀 변하지 않았을까 생각하여 대충 웃으며 오랜만이라며 대답하였다. 그러자 최민식은 내 대답에 안주를 씹으며 답하였다.

"너 아직도 백지환이랑 연락하냐?"

이 말을 들곤 나는 역시 사람은 바뀌지 않는구나라고 다시 한

번 깨달았다. 그렇지만 오해는 풀어야 한다 생각했기에 물음에 대답하였다.

"아니, 오다가 마주쳤을 뿐이야"

이 말을 들은 최민식은 계속 나를 찌르는 말을 하였다.

"그런 것 치곤 굉장히 다정하게 들어오던데?"

"아, 혹시 앞에서 마주쳤는데 금방 다시 그린라이트인가?"

이 말을 하며 최민식은 실실 웃어댔다. 기분이 나빴지만 무시했다간 저 성격에 판을 뒤집어엎을게 분명했기에 흘겨들으며 대충 대답만해주니 슬슬 흥미가 떨어졌는지 나에게서 관심을 끄고 다른 테이블로 자리를 옮겼다. 그제서야 나는 테이블에 있던 다른 애들 근황도 듣고 편안하게 있었다. 그러다 조금 지난 후 문이 열리는 소리가 들렸다. 문 쪽을 보니 하민이가 이제 도착해 들어온 것이었다. 하민이는 주변을 두리번거리다 내 쪽으로 다가와 내 옆에 앉았다. 하민이와는 며칠 전에 만났기에 어색함이 없어 서로 편안하게 얘기하고 있었다. 그러고 있던 와중 갑자기 최민식이 다가와 말을 걸었다.

"아깐 백지환이랑 같이 들어오더니 이제 이하민이랑 같이 있네?"

다시 시작됐다. 얼토당토않는 기분 나쁜 질문들이. 이번엔 정말 대답할 가치도 없다 생각했기에 말을 하고 있지 않던 옆에 있던 하민이가 웃으며 말을 했다.

"할 말 없으면 저리 가줄래?"

하민이의 말을 들은 최민식은 얼굴이 일그러지더니 다시 다른 테이블로 돌아갔다. 그렇게 두 시간정도 모두 헤어지기로 하며 다들 집으로 돌아갔다. 나 또한 집으로 가려고 할 때 지환이가 나를 붙잡았다.

"차로 데려다줄게"

"차? 술 마시지 않았어?"

내가 의아해하니 지환이는 마시지 않았다고 대답하며 말을 덧붙였다.

"나 술 못 먹는 체질이라고 거짓말했지"

"그걸 애들이 믿었어?"

"아니, 믿는 것 같진 않았는데 거기서 그냥 차도 갖고 와서 안 된다고 그랬지"

술을 마시지 않았다는 지환이의 얘길 듣고 나는 지환이의 차를 타기로 하여 차에 올라탔다.

"도하야 너 집 주소 좀 알려줘"

"내가 입력할게"

나는 내비게이션에 직접 입력하기 위해 검색창을 켰다. 그 검색창에는 우리 집 주소가 나와 있었다. 나는 놀랐지만 일단 그 주소를 누르고 지환이를 보았다. 지환이는 놀란 얼굴을 한 채 입을 열었다.

"너도 여기 살아?"

"어, 여기 사는데"

이 말을 들은 지환이는 웃으며 이야기했다.

"얼마 전에 여기로 이사 갔거든"

지환이의 얘길 듣곤 나는 놀랄 수밖에 없었다. 지환이 정도면 더 좋은 곳으로 갈 수 있었을 텐데 왜 나와 같은 빌라에서 사는지 궁금해졌다. 그렇지만 그런 건 이야기하기 불편할 수도 있다는 생각이 들어 물어보진 않기로 했다.

"그럼, 이제 자주 보겠네"

"그러게, 집도 가까우니깐 가끔 만나서 놀래?"

"시간봐서?"

"너무 매정한데"

 지환이는 그렇게 말하면서도 입은 재밌다는 듯이 웃고 있었다. 그렇게 우리가 장난을 치고 있다 보니 집이 가까워졌다. 지환이는 갑자기 운전대에 약간 기대더니 본인 집에서 같이 술 한 잔하다가 헤어지자고 하였다. 나도 이렇게 각자 집으로 들어가는 게 아쉬웠지만 지환이네 집이라 해서 약간 고민이 되었다. 하지만 그럼에도 지환이와의 시간이 너무 즐거웠기에 나는 수락하였다. 그렇게 우리는 집 앞 편의점에서 맥주 몇 캔을 사서 지환이네 집으로 올라갔다. 우리 집은 지환이네보다 아래층이었기 집에서 좀 더 편안한 옷으로 갈아입고 올라간다고 하고 우리 집으로 들어갔다. 집에 들어가 불을 켜고 잠깐 침대 위에 누웠다. 정말 편안했지만 지환이와의 약속이 있었기에 편하지만 깔끔한 옷을 찾아 입고 다시 불을 끄고 지환이네로 올라갔다. 지환이 집 앞에 도착해 전화를 걸었다. 지환이는 내 연락을 기다리고 있었는지 아니면 그냥 우연히 내가 전화를 걸었을 때 폰을 본건진 모르겠지만 지환이는 바로 문을 열어주었다. 지환이네 집으로 들어간 순간 바로 눈앞에 기타가 보였다. 가은 씨가 보여주던 지환이의 라이브 방송에선 기타를 치며 노래를 부르는 모습을 자주 보여주었다. 자리에 앉아 있으니 지환이는 과자와 함께 맥주를 들고 왔다. 둘 다 맥주를 따 한입씩 마시고는 이야기했다.

"지환아, 너 기타는 언제부터 친 거야?"

"고등학교 2학년 때 독학했지"

"고등학교 2학년 때면 우리가 친했을 땐데 왜 나한텐 얘기 안 했어?"

"그야 이벤트 해주려고 비밀로 하고 있었지"

이 말을 듣곤 우리는 서로 숙연해진 채로 둘 다 술만 홀짝홀짝 마셔대면서 이야기할 거리들을 찾아내고 있었다.

"지환아 넌 언제부터 작곡한 거야?"

"고3 겨울방학 때부터 코드만 짜다가 대학교 가서 심심할 때마다 코드 짰는데 코드만 짜니깐 너무 질려서 가사도 써넣었지 그러니깐 제대로 된 작곡은 대학교 1학년 때였지"

"그럼, 영상은 언제부터 올린 거야?"

이 질문을 듣더니 지환이는 머쓱한 듯 웃으며 대답해주었다.

"대학교 자퇴하고 나서 몇 달 후부터 올렸지"

지환이는 졸업할 때 하민이와 함께 가장 좋은 대학교로 들어갔었는데 대체 왜 자퇴를 했는지 궁금해하고 있을 때 지환이가 그에 대한 이야기를 해주었다.

"나 대학교 경영학과로 들어갔었거든 그래도 1학년 땐 그나마 괜찮게 다녔는데 2학년 때는 진짜 너무 맞지 않아서 전과를 하려고 했는데 내가 원하는 과가 하나도 없어서 그냥 자퇴해버렸지"

"부모님은 반대 안 하셨어?"

"하긴 하셨는데 내가 너무 완강하게 나가서 결국은 허락하신 거지"

"그럼 지금 싱어송라이터로 활동하는 거 부모님은 아셔?"

"아니, 모르셔"

"그럼 부모님은 너 백수로 아는 거야?"

"뭐, 그렇지"

우리는 약간의 정적이 흘렀지만 금방 지환이가 입을 열었다.

"도하 너는 왜 글 쓰는 거 포기한 거야?"

"그야 세상엔 천재가 너무 많았거든"

"그래도 난 네 글이 좋았는데"

나는 웃으며 말했다.

"그럼, 너한테만 내가 글 쓰면 보내줄까?"

이 말을 들은 지환이 또한 웃으며 대답했다.

"그럼 나야 영광이지"

그렇게 우리는 한동안 웃으며 얘기했다. 그러다 보니 우리는 금방 취기가 올라왔고 지환이는 같이 영화를 보자며 티비를 틀었다. 요즘 나온 재밌는 영화들 보단 예전에 나왔던 잔잔한 만화영화를 틀었다. 예전부터 내가 좋아하던 장르였다. 아마 지환이는 그걸 알고 튼 것 같았다. 맥주를 마시며 영화를 보니 시간

은 금방 지나갔고 지환이도 졸려 보였기에 나도 슬슬 집에 돌아
가기로 하였다. 그렇게 집에 돌아가 씻고 침대에 누워 잠에 들
었다. 그날 꿈에는 내가 학창 시절, 고등학생 때의 일들이 나왔
다.

제2화

　입학식 날 그날은 하민이와 처음 만난 날이었다. 같은 반이
되어 창가 자리에 앉아 바람을 맞으며 창밖을 보고 있는 칠흑
같은 머리카락과 눈에 대비되듯 하얀 피부를 갖고 있는 하민이
가 반에 들어가자마자 나의 눈에 들어왔다. 내가 하민이에게 반
했던 것은 아마 그때였을 것이다. 그렇게 잠시동안 멍하니 서
있었지만 금방 정신을 차려 나의 자리를 확인하러 갔다. 자리를
확인하니 나는 하민이의 옆자리였다. 나는 기분이 좋게 옆자리
에 앉아 어떻게 말을 걸어볼까 고민하였다. 하지만 그렇게 고민
만 하다가 하루가 지나가 버렸다. 집에서 내일은 말을 걸어봐야

지 하며 지냈다. 그런 하루가 이틀이 되고 삼일이 되고 점점 시간만 지나 반년이 지나게 되었다.

그렇게 거의 포기해갈 때쯤이었다. 하루는 조금 늦게 하교를 하게 되었는데 비가 오기 시작했다. 그렇게 교문 앞에서 비를 맞고 돌아갈까 하며 고민하고 있을 때 누군가의 발걸음 소리가 들려 뒤를 돌아봤다. 뒤에는 하민이가 걸어가고 있었고 하민이는 내가 난처한 게 보였는지 하민이가 먼저 말을 걸었다.

"우산 같이 쓰고 가자"

하민이의 집이 어느 쪽인지 몰랐던 나는 하민이에게 집이 어느 쪽이냐고 물었다. 그러자 하민이는 덤덤하게 이야기했다.

"나 너랑 같은 쪽이야"

우리는 비가 쏟아지는 날 함께 우산을 쓰고 집으로 향했다. 나는 이때라고 생각하고 하민이에게 말을 걸었다.

"넌 나랑 집이 같은 쪽인지 어떻게 안 거야?"

"더워지기 시작할 때 집에 가는 길에 슈퍼에서 아이스크림 사서 나오는 도하 너를 봤어"

"근데 아는 사이인 줄 알면서 왜 말 안 걸었어?"

"그렇게 친한 사이도 아니었고 아이스크림 먹으면서 기분 좋게 걸어가는 네 뒷모습 보기가 좋았거든"

이 대답을 끝으로 우리는 조용히 걸어갔다. 하민이는 자기 집에 가던 중에 있는 우리 집 앞까지 나를 데려다주고 집으로 돌아갔다. 나는 아쉬워 집으로 가는 하민이의 뒷모습을 보았다. 하민이는 나를 배려해주었기 때문에 오른쪽 어깨가 젖어있었다.

그에 비해 나는 몇 방울 조금 맞았을 뿐 옷이 젖지 않았다. 그런 모습에 나는 하민이가 더욱 좋아졌었다. 그날 하루는 너무나 설레 밤늦게 잠에 들었다. 밤늦게 잠에 든 탓에 다음 날 아침 나는 졸린 몸으로 등교를 하였다. 그렇게 나는 학교 수업 시간에 졸다가 잠을 자게 되었다. 눈을 뜨니 점심시간이어서 모두 점심을 먹으러 나갔고 나는 하민이의 어깨에 기대어 있었다. 내가 놀라며 이야기하였다.

"미안해, 하민아"

"미안해 안 해도 돼"

"아냐 그래도 미안해"

"아냐 네가 앉아서 고개만 숙이고 자는데 목이 너무 아파 보여서 나한테 기대게 한 거야‘

그 말을 듣고 얼굴이 굉장히 화끈거렸지만 나 때문에 밥도 못 먹고 있었던 하민이에게 고맙다고 말하였다. 나는 순간 아침에 어머니께서 챙겨주셨던 과일이 생각났기에 가방에서 꺼내며 하민이에게 물었다.

"같이 먹을래?"

"그럼 고맙지"

과일을 다 먹고 정리하며 하민이에게 말을 걸었다.

"우리 하교할 때 집 같이 갈래?"

하민이는 약간 고민하다가 입을 뗐다.

"나 학교 끝나고 좀 늦게 가는데 괜찮아?"

"당연히 괜찮지"

하민이는 나를 보고 웃었다. 나는 그때 하민이의 웃는 모습을 처음 봤었다. 그렇게 우리는 함께 하교를 하며 점점 더 가까워졌다. 가까워지면 가까워질수록 나는 더욱더 하민이가 좋은 점들을 많이 알게 되었고 하민이는 생각보다 웃음이 많은 아이였다는 것도 알게 되었다. 시간이 지나고 여름방학이 되었다. 방학식 날 나는 방학 동안은 하민이를 보지 못한다는 사실에 슬펐지만, 우리 집 앞에 도착하고 하민이는 잠시 머뭇거리다 나에게 말을 걸었다.

"도하야 전화번호 좀 알려주라"

나는 하민이가 내 전화번호를 알려달라고 할 줄은 몰랐기에 놀라며 전화번호를 알려주었다. 그렇게 난 집에 들어가서 씻고 침대에 누워있자 누군가에게 전화가 왔다. 평소라면 스팸일까 생각하여 받지 않았을 테지만 그날은 왠지 모르게 전화를 받았다. 전화를 받자 익숙한 목소리가 폰에서 새어나왔다.

"도하야 나 하민이야, 아까 내 전화번호는 안 가르쳐준 것 같아서"

"스팸일까 해서 안 받으려고 했는데 받길 잘했네"

이 말을 들은 하민이는 킥킥 웃었다. 그렇게 우리는 그날 밤 새벽이 될 때까지 전화했다. 하지만 그날 이후 우리는 전화를 다시 하진 않았지만, 메신저로 연락은 계속하고 있었다. 그렇게 며칠이 지나고 우리는 약속을 잡았다. 그 전날 나는 무슨 옷을 입을 까 고민하고 덜려서 설레서 늦게 잠들었기에 약속 당일날 예상보다 늦게 일어나게 되어 약속 장소에 늦게 도착하였다.

"하민아 미안해, 내가 너무 늦었지"

"아냐, 괜찮아"

모범생답다고 해야 할지 하민이 답다고 해야할지 하민이는 카페에 앉아 인터넷 강의를 듣고 있었다. 그렇게 그날 늦잠을 잤다고 하민이에게 이야기를하자 하민이는 다음 약속 때부턴 자기가 깨워주겠고 하였다. 그렇게 우리는 다음 약속도 잡게 되었다. 처음엔 조금씩만 만났지만, 도서관에 가서 같이 공부를 하는 등 점점 만나는 빈도수가 잦아졌다. 하민이와 만나지 못할 것 같아 슬펐던 방학이 하민이와의 함께했던 일들로 채워지고 개학을 하루 앞두고 있었다.

그날은 편안하게 집에서 쉬고 있었다. 저녁을 먹고 폰을 보니 하민이에게 연락이 와 있었다. 우리 집 앞에 있다는 이야기였다. 그 메시지를 보고 나는 옷을 갈아입고 머리를 정리하고 밖으로 나갔다. 그렇게 하민이를 만나고 하민이는 나를 만나자마자 슈퍼로 끌고 갔다. 슈퍼에서 내가 하교하며 항상 먹던 소다맛 아이스크림을 두 개를 결제하였다. 하민이는 아이스크림 하나를 나에게 먹으라며 주었다. 우리는 아이스크림을 먹으며 동네를 돌며 이야기하다가 집으로 돌아갔다.

그날 밤은 방학에 있었던 일들을 생각하다가 잠에 들었다. 개학식 날 돌아오지 않은 수면 패턴을 이기고 일어나 학교로 향했다. 그날은 학교 가는 길에 하민이를 만났다. 항상 하민이는 나보다 일찍 등교했었는데 아마 하민이는 오늘 좀 늦게 일어난 것 같았다. 하민이와 이야기하다 보니 벌써 교실 안이었고 수업 종이 쳤다. 좀 더 대화를 하고 싶었지만, 수업을 들어야 하니 이야기하지 못하고 우리는 수업을 듣게 되었다. 수업을 듣던 중 하민이가 나의 책상으로 쪽지 하나를 들이밀었다.

"집 가고 싶다."

그 종이에는 이렇게 적혀있었다. 하민이가 수업 중에 딴짓에 다가 집에 가고 싶다는 이야기하니 뭔가 신기했다.

"나도, 집 가서 자고싶어"

내 대답을 본 하민이는 약간 장난스럽게 웃더니 대답을 적기 시작했다.

"그럼, 그때처럼 또 내 어깨에 기대서 자"

하민이가 이런 장난을 치다니 새삼 우리가 가까워졌단 걸 다시 느끼게 되었다.

"싫어, 그럼 나 혼나잖아"

"뭐 어때"

"네가 상관할 거 아니다 이거지?"

"뭐 그렇지"

한참을 서로 종이에다 이야기하다가 쉬는 시간 종이 쳤기에 나와 하민이는 그냥 다시 말로 대화하기 시작했다. 그렇게 대화하다가 수업 종이 다시 치고 나는 그 수업을 듣다 결국 졸다 잠들게 되어 하민이와 대화는 더 할 수 없었다. 그렇게 내가 눈을 떴을 땐 그 때와 똑같은 상황이었다.

"아, 미안"

"됐어, 한두 번도 아닌데 괜찮아"

"나 오늘이 두 번째거든"

이 말을 들은 하민이는 웃으며 대답했다.

"아, 그러시군요"

그런 장난스러운 하민이의 모습에 나는 웃으며 질문했다.

"그럼, 그때처럼 점심 대신 과일 드실래요?"

하민이는 좋다고 대답하였다. 우리는 이야기하며 그때보단 더 즐겁게 과일을 먹었다. 즐겁게 이야기하다가 벌써 수업 종이 쳐 수업이 시작하고 끝나고를 반복하다 하교할 시간이 되었다. 그 날부터 다시 함께 하교하는 게 시작되었다. 하지만 그날 이후로 등교 시간에도 하민와 마주쳐 등교와 하교를 같이 하기 시작했다.

여름이 지나고 가을이 지나가고 겨울 어느 날 하민이가 아무리 기다려도 나오지 않았기에 하민이에게 메시지를 보내고 먼저 등교를 하였다. 그렇게 학교에서 하민이를 기다렸지만 아무리 지나도 하민이가 오지 않아 걱정하던 그때 누군가 헉헉거리며 문을 열고 들어왔다. 뛰어와서 안경에 하얗게 김이 서린 하민이었다. 목도리를 하고 안경에 김이 서린 하민이의 모습이 귀여우면서도 웃겼다. 그런 하민이의 모습을 보고 나는 웃으며 하민이에게 늦잠 잤냐고 물어봤다. 그러자 하민이는 호흡을 진정시키며 말하였다.

"원래 알람 듣고 일어나는데 오늘은 알람이 안 울렸어"

그 말을 듣고 나는 하민이를 놀려댔고 그렇게 놀려대다가 수업 종이 쳤다. 수업을 듣고 있는데 옆에서 자꾸 뭔가 꾸벅거리는 모습이 보여 옆을 보니 하민이가 졸고 있었다. 하민이는 아무리 졸려도 수업 시간엔 잘 졸지 않기에 어디가 아픈가 하고 하민이에게 괜찮냐고 물어봤더니 하민이가 대답도 제대로 하지 못하여 하민이의 이마에 손을 대 보니 하민이의 이마가 굉장히 뜨거워져 있었다. 나는 확인한 즉시 손을 들어 선생님께 하민이의 상태를 이야기하고 양호실까지 부축해주었다. 그렇게 양호실에서 누워서 자게 한 후 나는 다시 교실로 돌아왔다. 수업을 듣는 와중에도 자꾸 하민이가 걱정되었기에 나는 제대로 집중을 할 수조차 없었다. 그렇게 하민이의 걱정만 하다가 수업이 끝나고 쉬는 시간에 바로 양호실로 가보았다. 양호실에는 아직도 깨어나지 않은 하민이가 있었고 나는 쉬는 시간 동안 계속 하민이를 찾아가 보았다. 하지만 하민이는 일어나지 않았고 나의 걱정들은 점점 많아져만 갔다. 그렇게 점심도 거르고 하민이의 옆에 있던 찰나 하민이가 잠에 덜 깬 상태로 말을 하였다.

"물"

"하민아, 정신이 들어? 물 가져다줘?"

"응, 물 좀 주라"

하민이에게 물을 가져다주니 하민이는 물을 마시고 상태를 확인한 후 다시 잠들었다. 한 번이라도 깨어난 하민이를 보니 그동안 걱정했던 것들이 어느 정도는 사라지게 되었다. 그렇게 야자가 끝날 때쯤엔 어느 정도 정신을 차렸기에 정말 안심되었다. 그렇게 하민이는 나에게 부축받아 집까지 가게 되었다. 그렇게 하민이가 집에 들어가는 걸 보고 나도 집에 들어가게 되었다.

그렇게 그날 심하게 아팠던 하민이는 다음날 병원에 갔다가 집에서 쉬었기에 학교에 나오지 않았다. 그리고 그 주 주말 나는 걱정이 되어 하민이 병문안을 가게 되었다. 잠깐 들어가 과일을 주고 이야기를 좀 하다가 나왔는데 하민이는 목요일보단 몸 상태가 좋아 보였다. 점점 나아지는 게 보였기에 다행이라고 생각하며 집에 돌아갔고 다음주부턴 학교를 나올 수 있게 되었다. 그 후엔 다행히이라고 해야 할지 아니라고 해야 할지 아무 사건 없이 하루하루 지나가며 겨울방학이 코앞으로 다가왔다.

방학식을 하고 우린 여름방학 때와 거의 똑같게 겨울방학을 지냈다. 마지막 겨울방학 때부터 우리는 2학년 때도 같은 반이 되면 좋겠다는 이야기를 계속하고 지냈다. 개학을 하고 수업도 하지 않으니 계속 하민이와 장난을 치며 하루하루 보냈다. 즐거운 시간은 금방 지나간다고 했었나 그 시간들은 금방 지나 2학년이 되었다. 우리가 그렇게 빌었던 같은반은 되지 않았고 서로 반이 떨어지게 되었다. 2학년이 된 우리 둘은 반에 적응하지 못하고 쉬는시간이 되면 서로를 찾아갔다.

그렇게 지내던 우리 사이가 약간 틀어지게 되는 사건이 생기게 된다. 바로 지환이가 전학을 온 것이었다. 지환이는 1학기 끝 무렵쯤 전학을 왔다. 찬란한 금발에 홀릴 것만 같은 맑은 푸른 눈동자를 가진 지환이는 교탁앞에서 자기소개를 하였다.

"백지환이야, 잘 부탁할게"

지환이가 인사를 하곤 선생님께서 바로 지환이의 자리를 알려주셨다.

"저기 맨 뒤 오른쪽 창가 쪽에 앉으면 된단다."

내 옆자리였다. 우리 반은 홀수였고 나는 친한 애들도 없을뿐더러 친구라고 부를만한 애들도 없었기에 자진으로 혼자 앉았었다. 그렇기에 남은 내 옆자리에 앉으라 한 것이었다. 조금 불편하긴 했지만 딱히 상관은 없었다. 그렇게 아무렇지 않게 창밖을 보고 있을 때 지환이가 옆에 앉아 나에게 말을 걸었다.

"안녕, 이름이 뭐야?"

처음 모두 앞에서 인사를 한 지환이는 무표정이었지만 내 옆에 앉아서 나에게 말을 걸 때는 웃으며 인사해주었다.

"안녕, 난 오도하야"

"예쁜 이름이네"

"고마워"

이렇게 우리는 인사를 나눴고 그 후엔 쉬는 시간이라 반 애들이 전부 지환이한테 몰려들었기에 더 이상 이야기할 시간은 없었다. 대신 지환이에 대한 얘기는 들을 수 있었다. 지환이가 하프 혼혈이라 계속 한국에서 살았던 것과 눈색과 머리색은 모두 자연이라는 것 등등 애들이 물어보는 질문에 대한 대답은 모두 알 수 있었다. 하지만 문제는 쉬는 시간마다 사람들이 너무 많이 몰려든다는 것이다. 난 조용히 있는 게 좋았기 때문에 쉬는 시간마다 하민이를 찾아가 이야기를 하였다. 하지만 지환이는 쉬는 시간마다 내가 불편해서 자리를 피한다는 것을 알았는지 수업 시간에 나에게 쪽지 하나를 건네주었다.

"나 때문에 불편했지 미안해"

지환이의 쪽지를 보곤 나도 괜스레 지환이에게 미안해졌다. 지환이가 원해서 애들이 자리로 오는 것도 아니었는데 자신 또한 귀찮고 힘들 텐데라는 생각이 들었다.

"아냐, 난 그냥 내 친구 만나러 가는 것뿐이야"

"그래도 다행이네"

"응, 그러니깐 신경 안 써도 돼"

지환이는 쪽지를 받고 약간 고민하듯 하다가 다시 적기 시작했다.

"그럼 나랑도 친구 해주라"

약간 당황스러운 말이었다. 지환이라면 나 말고도 친구 할 애들이 많을 텐데라고 생각은 했지만 반에 친구 하나 있는 게 좋을 거라 생각했기에 나는 쪽지에 좋다고 써서 지환이에게 건넸다. 하지만 우리의 대화는 그 쪽지가 마지막이었고 그렇게 1학기가 끝나버렸다. 나는 이번 연도 여름방학도 하민이와 함께 지냈지만, 종종 지환이가 생각이 났다. 아직도 그때 쪽지로 했던 말들을 기억하는지란 생각을 하면서 말이다. 그래도 하민이와 지내는 시간이 나에겐 더 중요했기에 크게 신경은 쓰지 않았다.

시간은 흘러 2학기가 시작되었다. 2학기가 되자 지환이의 대한 관심은 거의 없어졌으며 지환이는 반 애들 중 몇몇과 여름방학 때 연락해서 놀았던 건지 꽤나 친해진 친구들이 많았다. 하지만 놀랐던 건 저녁 시간엔 항상 나와 대화하려던 것이었다. 쉬는 시간이 될 때마다 하민이를 찾아갔지만, 저녁 시간은 지환이가 나를 붙잡았기에 하민이를 만나러 가지 않고 지환이와 같이 이야기하였다. 지환이와 이야기하는 시간은 즐거웠다. 지환이는 누구보다 나를 맞춰주려 노력했기 때문이다. 그리고 저녁에 저물어가는 햇빛을 받아 더욱 반짝이는 머리칼과 더욱 맑아 보이는 눈동자를 보는 게 즐거웠기 때문도 있었다. 그렇게 지낸지 며칠 지환이와 지내는 게 어느 정도 편해졌을 때 지환이는 나에게 내기를 하자고 하였다.

"도하야, 우리 소원 내기할까?"

"나는 너한테 딱히 소원이 없는데"

"그럼 그건 저장하고 나한테 소원 생겼을 때 써"

이때 약간 고민을 하였지만 재밌을 것 같다는 생각이 들어 수락하였다.

"그럼, 가위바위보로 내기하자"

"그래, 근데 왜 가위바위보야?"

"내가 가위바위보를 잘하거든"

지환이는 자신 당당하게 이야기하곤 가위바위보를 하였다. 자신 당당한 것처럼 나와의 내기에서도 지환이는 내 가위바위보에서 이겼다.

"내가 말 했지 나 가위바위보 잘한다고"

"그래서 소원이 뭔데?"

"전화번호"

지환이는 이렇게 말하며 환하게 웃었다. 난 잠시 넋이 나갔었지만 지환이의 폰을 달라는 제스처에 정신을 차리고 폰을 넘겨주며 말했다.

"전화번호 정돈 그냥 줄 수 있는데"

지환이는 내 폰을 가져가며 말하였다.

"내기하는 게 재밌잖아"

그렇게 말하고는 지환이는 자신의 전화번호를 내폰에 저장하고는 내 폰으로 전화를 걸고 폰을 넘겨주었다. 그렇게 그날 전화번호를 교환하고 우리는 연락을 하고 지내게 되었다. 물론 하민이와 하교하는 시간에는 하민이와 이야기하느라 연락하지 못했지만, 집에 가선 하민이와 지환이 둘의 연락을 번갈아 받았다. 그렇게 지환이와의 사이도 가까워지고 가끔 쉬는 시간에 나가지 않고 지환이와 이야기하는 시간이 많아지게 되었다. 하민이보다 지환이와 지내는 시간이 점점 많아지다 보니 가끔은 하민이가 서운한 듯하였다. 하지만 기분 탓인가 하며 넘어가는 일이 다수였다. 쉬는 시간에 지환이와 이야기를 나누고 있을 때 하민이가 나를 찾아왔다.

"하민아, 무슨 일이야?"

그날은 왠지 모르게 하민이의 표정이 약간 좋지 않아 보였다.

"까먹었어, 미안"

이 말을 하며 하민이는 머쓱하게 웃었다. 나는 별일 아닐 거라 생각하고 하민이와 쉬는시간이 끝날 때까지 대화를 하다가 들어갔다. 하지만 그날 이후 하교 시간과 등교 시간 빼곤 하민이가 나를 먼저 찾아오는 일은 없어졌다. 나는 하민이를 몇 번 찾아갔었다. 그때마다 하민이는 나를 기분 좋게 맞이해주었지만, 갈 때마다 항상 하민이는 공부에 열중해 있었기에 방해하고 실지 않다는 마음에 점점 찾아가지 않게 되었다. 그렇게 하민이와 점점 멀어지게 되면서 지환이와 함께하는 시간이 늘어났다. 지환이와 함께하는 것도 즐거웠지만 지환이의 말론 하민이와 멀어질 때쯤 나는 기분이 좀 나빠 보인다고 하였다.

"도하야, 요즘 기분이 좀 안 좋아 보이는데?"

"나 별일 없는데?"

지환이는 약간 머뭇거리더니 약간 무겁게 입을 뗐다.

"너 혹시 이하민 좋아해?"

"왜?"

"너 걔랑 잘 못 만나기 시작하면서 점점 기분이 안 좋아지는 것 같아서"

지환이와도 꽤나 많이 친해졌고 입이 가벼운 편도 아니었으니 이 정도는 말을 해도 괜찮겠다는 생각이 들었다.

"맞아"

지환이는 순간 씁쓸한 표정을 짓더니 힘내라고 하곤 주제를 바꾸었다. 잘 지내고 있다고 생각한 어느 날 지환이와의 사건이 생겼다. 그날은 지환이와 주말에 따로 만나 논 날이었다. 그 날 오후 까진 아무렇지 않게 평소와 똑같이 놀다 시간이 저녁 시간쯤 되어 지환이가 나를 집에 데려다주었다. 그리고 우리 집에 도착했을 때 지환이는 나를 붙잡고 머뭇거리며 이야기하였다.

"이따 전화할 수 있어?"

"가능한데 전화하기 전에 메시지 주라"

우리는 이렇게 각자 집으로 돌아갔다. 그날 저녁밥을 먹고 폰을 보니 지환이에게서 메시지가 도착해있었다. 나는 본 즉시 전화를 걸었다.

"여보세요"

폰 너머로 지환이의 목소리가 들려왔다.

"여보세요, 나 도하야"

"뭐 하고 있었어?"

"나 밥 먹었어"

"너는?"

"난 네 연락 기다렸지"

가끔 지환이는 이런 말들을 자주 했다. 솔직히 이땐 무슨 생각이었는지도 모르겠다. 그냥 갑자기 궁금해졌다.

"지환이 넌 왜 자꾸 그런 말들을 하는 거야?

"그런 말이라니?"

"약간 사람 꼬시려는 말투랄까?"

지환이는 장난스럽게 대답하였다.

"아.. 그건 너한테만 하는 거야"

보통은 여기서 웃고 넘기겠지만 이날은 뭔가 그러고 싶지 않았다.

"왜 나한테만 하는 거야?"

지환이는 약간 고민하는 듯이 조용해지더니 다시 소리가 들리기 시작했다.

"내가 너 좋아하니까"

나는 당황스러웠다. 지환이는 원래 약간 능글대는 성격이었으니 나를 좋아한다는 것을 전제로 하는 말들일 줄은 생각도 못 하였기 때문이다. 내가 이렇게 생각하고 있는 동안 지환이는 말을 이어가기 시작했다.

"네가 하민이 좋아하는 것도 알아, 하지만 나는 네가 좋아. 네가 날 조금만이라도 봐주면 좋겠어."

이 말을 듣곤 나는 더 정신이 멍해지기 시작했다. 지환이는 내가 아무 말도 하지 못하겠는 것을 알았는지 계속 말하기 시작했다.

"이건 고백이니깐 조금 생각해주면 좋겠어. 생각하고 얘기 줘."

이 말을 끝으로 지환이는 전화를 끊었다. 그날은 일찍이 잠에 들었다. 사실 머릿속이 복잡했기에 이른 시간에 잠을 청한 것이었다.

다음 날 나는 하민이와 지환이와의 생각으로 머릿속이 똑같이 복잡해져 있었다. 이렇게 고민해봤자 머리만 아프단 생각이 들어 무작정 할 말도 정하지 않고 하민에게 전화를 걸었다.

"여보세요?"

약간 잠긴 듯한 하민이의 목소리였다.

"아, 미안 혹시 자고 있었어?"

"아니, 계속 말을 안 해서 잠겨있었을 뿐이야"

하민이는 편안한 듯 전화하였지만 나는 하민이를 떠볼 기회를 계속 생각하고 있었다. 그러던 중 떠볼 기회가 생겼다.

"하민아, 그럼 내가 연애하면 어떨 것 같아?"

하민이는 약간 고민하더니 입을 뗐다.

"뭐, 네가 하고 싶다면 하는 거지."

"하긴, 그렇지"

하민이의 말을 듣곤 나는 하민이가 나를 친구로밖에 생각하지 않는다는 것 같아 나는 그만 하민이를 포기하였다. 그렇게 나에게 마음을 전한 지환이만 남아있었다. 지환이는 성격이 나쁜 것도 아니었고 나에게 친절했고 지환이와 지내는 것도 즐거웠다. 그리고 지환이와 연애를 하다 보면 점점 하민이도 잊을 수 있지 않을까 생각했기에 지환이에게 연락하였다.

"여보세요?"

"여보세요"

"생각해봤어?"

"응"

"그럼 대답은?"

"좋아"

"진짜?"

지환이의 신난 듯한 말투에 나는 웃음이 터졌다.

"그럼, 진짜지 가짜로 말하겠어?"

내 대답을 듣곤 지환이 또한 다시 입에 웃음이 머물기 시작했다.

"하긴 그렇겠지, 그럼, 내일 봐."

"응"

다음날 등굣길에서 만난 하민이에게 나는 지환이와 연애한다고 이야기하였다. 나는 하민이의 얼굴을 제대로 보진 못했지만 하민이는 별일 아닌 듯 그냥 넘겼다. 그렇게 우리는 어색하게 등교하였다. 하지만 그날 이후 하민이와 함께하는 시간은 점점 줄어들었다. 하민이는 날 어색하게 대하며 점점 등교도 함께하지 않았고 유일하게 하민이와 함께 하교했던 시간은 지환이가 나를 데려다주는 바람에 함께할 수 없었다. 하지만 지환이와 함께 있는 시간은 즐거웠고 연애하는 동안 하민이에게 연락하는 것은 지환이에게 예의가 아니라 생각했기에 연락도 하지 않고 지냈다. 그렇게 우리의 연애를 순조로운 줄 알았다. 하지만 연애를 시작하고 한달 정도 지났을 때 지환이와 내가 사귄다는 소문이 돌기 시작했다. 아마 지환이와 데이트할 때 손을 잡고 걸어 다니는 모습을 몇몇 애들이 보았기 때문일 것이다. 지환이가 학교에서 꽤나 인기가 있었던 만큼 여자애들 남자애들 상관하지 않고 나와 지환이를 찾아왔다. 그중에 제일 기분이 나빴던 애가 바로 최민식이었다. 최민식은 지환이 앞에선 크게 기분 나쁜 말도 하지 않았지만 내 앞에서는 달랐었다. 연애를 하는지 하지 않는지부터 사귄 지 얼마나 됐는지 누가 먼저 고백했는지부터 시작하여 듣고 싶지 않고 지금도 생각하기도 싫은 질문들을 점점 하기 시작했다. 하지만 제대로 알려주진 않았다. 제대로 알려주었다간 귀찮아질 것 같았기 때문이다. 하지만 처음부터 상대를 하지 말았어야 했다. 왜냐하면 대충 대답한 나 때문에 내가 지환이에게 매달리다가 결국 사귀게 되었다는 소문이 생기게 되었기 때문이다. 지환이는 그런 소문들을 듣고 자신이 매달렸다며 친구들에게 해명하고 다녔지만, 그것들은 소문에 대해 딱히 먹히진 않았다. 이런 소문들은 점점 나를 지치게 만들었다. 처음엔 지환이와 연애를 한다면 하민이를 잊을 수 있지 않을까 생각하여 해본 연애였으나 지환이에게 좋지 않은 일을 하는 것만 같았고 하민이에 대한 마음을 계속 접지 못하였기 때문이다. 그렇지만 나는 지환이와의 사이가 틀어지는건 바라지 않았기에 헤어지지 못하고 있었다. 그렇게 우리는 두 달가량 연애를 하게 되었다. 하지만 지환이는 이런 나의 마음을 눈치챘는지 저녁 시간 모두가 밥을 먹으러 사라질 때 지환이는 나를 붙잡았다. 나와 지환이는 교실에 둘만 남아있었다. 지환이는 우물쭈물 거리다 장난스럽게 이야기하였다.

"우리 헤어지자."

"그래"

지쳐갔던 나는 지환이의 말에 딱히 고민하지 않고 이야기하였다. 사실 지환이가 이야기해 주길 바랐을지도 모르겠다. 내 대답을 듣곤 지환이는 천천히 반을 나갔다. 반에 혼자 남아있던 나는 밖에서 저녁을 다 먹고 점점 모여드는 애들의 발걸음 소리와 이야기 소리 사이로 알 수 없는 누군가가 희미하게 들리는 우는소리를 들을 수 있었다. 난 내가 헤어진다면 울 줄 알았다. 지환이와의 사이는 좋았고 연애기간 동안 행복했지만 나는 전혀 눈물이 나오지 않았다. 그렇게 지환이와의 사이도 어색해지고 하민이와의 사이도 멀어진 채로 친했던 친구들과 멀어지게 되고 사이가 좋았던 친구들에게도 벽을 쌓게 되었다. 그렇게 우리는

3학년이 되었다. 3학년 땐 하민이는 공부에 열중하였고 계속 고민하다가 나는 3학년 초에 글을 쓰는 것을 포기하고 공부에 열중하게 되었다. 하지만 지환이는 하민이와 나완 다르게 놀며 어느 정도의 공부만 하고 성적이 잘 나왔기에 2학년 때와 거의 비슷하게 지내는 듯 보였다. 그렇게 우리는 3학년을 끝내고 고등학교 졸업을 하게 되며 우리는 모두 서울권 대학교로 진학하게 되며 하민이와 지환이는 모두가 알만한 유명한 대학교로 진학하게 되었다. 그렇게 나는 졸업을 끝으로 꿈에서 깨어났다.

제 3 화

정말 지독하게 현실적인 꿈이었다. 고등학교 다닐 때 있었던
큰일들을 나열해놓았기에 기분이 좋지도 나쁘지도 않았다. 그렇
게 나는 침대에 앉아 잠시동안 멍하니 있었다. 그러던 중에 휴

대폰 알림 소리가 들려 폰을 보자 지환이와 하민이에게 연락이 와있었다. 과거에 대한 꿈을 꾸고 나니 지환이와 하민이에게 연락이 와 있다는 게 더 꿈만 같았지만 약간의 걱정도 남아있었다. 나중에야 알았지만, 하민이의 대한 감정은 나에겐 잊지 못할 사랑이었고 그것이 바로 첫사랑이었다는 것도 편안함 때문에 몰랐지만, 지환이 또한 좋아한다는 감정이었다. 지환이와 하민이를 다시 만난 지금 계속 관계를 이어가다 보면 나에게 다시 감정이 생길 것 같다는 생각들이 들게 되었다. 나는 한참을 고민하다가 샤워를 하러 들어갔다. 샤워를 하는 도중에도 고민은 계속되었지만, 답이 나오지 않아 나는 어떻게든 지나가겠지란 생각으로 거품들과 함께 고민들을 흘려보냈다. 흘려보낸 고민들 덕분에 나는 다시 가벼워진 마음으로 지환이와 하민이에게 온 연락들에 답을 하였다. 지환이에게서 온 메시지는 알 수가 없었다. 방금 자다 일어난 상태로 쓴 듯한 메시지였기 때문이다. 하민이에게서는 어제 집에 잘 들어갔냐고 묻는 메시지였다. 나는 각각 지환이에게는 무슨 말이냐는 메시지를 보냈고 하민이에게는 잘 들어왔다는 메시지를 보냈다. 후에 지환이는 다시 잠든 듯 연락이 오지 않았고 하민이는 금방 답장이 왔다.

"다행이네"

"응"

"도하야, 혹시 오늘 뭐 해?"

"오늘 아무것도 안 해"

"그럼 나 모델 한 번만 해줄래?"

"모델? 나보다 더 괜찮은 사람들 많잖아"

"그냥 연습으로 찍는 거라 도와줄 수 있을까?"

나는 약간 고민하다가 수락했다.

"그래, 어디로 가면 돼?"

질문에 하민이는 링크를 하나 보내며 말을 하였다.

"여기 405호로 오면 돼"

"알겠어, 혹시 나 뭐 꾸미고 가야 해?"

"아니, 그건 네 맘대로 하면 돼"

"알겠어"

나는 약간 고민을 하다가 가벼운 화장과 고데기를 조금 하고 밖을 나섰다. 하민이가 보낸 링크는 은근 가까웠기에 걸어서 20분 정도면 도착했다. 405호 앞에서 하민이에게 전화를 걸었다. 안에선 약간의 우당탕 소리가 들리며 하민이가 문을 열었다.

"들어와"

나는 문을 넘어 들어갔다. 그곳은 세트장 같으면서도 누구가가 생활을 한 흔적들이 남아있었다.

"하민아, 여긴 너희 집이야?"

"맞아, 원래 집인데 작업실을 구할만한 여력은 없어서"

"그럼 넌 작업실을 구하면 어디로 구하고 싶은데?"

"난 가까우면 좋겠어, 작업하다가 피곤하면 집에 가고 잠이 오지 않으면 작업하러 나오고 아니면 그냥 밖에 나가서 풍경 사진 찍고 그래서 난 나중에 능력만 된다면 이 층짜리 건물을 사고 싶어"

하민이가 자신의 미래에 대해서 이야기하는 것은 지금 처음 들었다. 하민이가 미래에 대해 이야기 할 땐 그 누구보다 반짝 거렸다. 나는 그 모습을 보곤 하민이가 즐거워 보여 다행이라 생각하기도 했지만 어딘가 마음이 욱신거렸지만 별것 아닐 거라 생각하고 그냥 넘겼다.

"그래? 열정적이서 좋아 보이네"

하민이는 쑥스러운 듯 고개를 푹 숙이고 이야기하였다.

"그럼, 이제 촬영 시작하자"

하민이가 카메라를 들고 일어났다.

"하민아, 난 어디에 있으면 돼?"

"저기에 서서 네 맘대로 포즈 취해봐, 주제가 있는 것도 아니니깐 소품도 마음대로 써도 돼"

"알겠어"

말은 알겠다고 하였지만 막상 카메라 앞에 서니 긴장이 되었다. 내가 긴장한 게 보였는지 하민이는 잠시 카메라를 치우며 장난스럽게 이야기하였다.

"처음엔 테스트로 몇 장 조금 찍을 테니깐 그때까지 긴장 풀어"

나는 작게 웃으며 알겠다고 하였다. 그렇게 촬영이 시작되었다. 나는 나름 자연스럽게 포즈를 취하려 노력하였고 점점 익숙해졌다. 그렇게 익숙해져가며 하민이도 나에게 조금씩 요구사항을 말해주었다. 그렇게 3~4시간정도 촬영을 하였고 끝이 났다. 촬영이 끝난 후 하민이가 보라고 한 사진들은 정말 마음에 들었다. 내가 마음에 들어 하는걸 눈치챘는지 하민이는 뿌듯한 듯 웃었다.

"도하야, 이 사진들은 약간 수정하고 너한테 보내줄게"

"알겠어"

"그럼 촬영도 고마웠겠다 내가 배달 살 테니깐 먹고 가"

"굳이 안 사도 돼, 더치페이하자"

"아냐, 어떤 면에선 무리한 부탁이었을 텐데 받아 들어줘서 고마워서 그래"

"그렇게 따지면 나는 덕분에 좋은 사진들을 얻었는걸"

"그래도"

"그렇게 신경 쓰이면 나중에 내가 찍어달라고 할 때 나 또 찍어주라"

하민이는 웃더니 알겠다고 이야기하였다.

"그럼, 뭐 먹을래?"

"라멘 어때?"

"좋아, 근데 라멘은 이 근처에 있는데 거기로 갈래?"

"그래"

우리는 이렇게 밖으로 나섰다. 걸어가는 동안 아무 말도 없어 어색했는지 하민이는 나에게 말을 걸었다.

"넌 왜 글 쓰는거 그만뒀어?"

"세상엔 천재들이 너무 많아서"

"그렇지만 그 천재들도 결국은 노력으로 완벽해진 거 아냐?"

"그렇겠지, 하지만 난 재능이 없었는걸"

"난 그렇게 생각 안 했는데"

"넌 내 글 읽어본 적도 없잖아"

"음.. 읽어본적 있어"

"난 글 보여준 적 없는데?"

"네가 나한테 블로그 알려줬었잖아"

"아.. 그랬었지"

그 순간 내가 학창 시절 블로그에 글을 써서 올리며 꿈을 키워갔던 것이 생각이 났다. 내가 생각에 잠겨있는 사이 하민이는 말을 이어갔다.

"난 네 글 좋아했어"

"오글거리지 않았어?"

"딱히, 오히려 재밌기만 했는걸"

"고마워"

하민이의 말을 들으니 마음이 약간 화해지며 만약 내가 글을 계속 썼다면 지금 어떻게 되었을까란 생각이 들었다. 하지만 그 것도 잠시 나는 혼자 있는 것이 아닌 하민이와 같이 있었기에 생각을 멈추고 하민이와의 시간에 집중하기로 하였다. 그렇게 대화를 하며 걷다 보니 벌써 라멘 가게 앞에 도착했다. 그렇게 우리는 안으로 들어가 자리를 잡고 메뉴를 골랐다.

"도하야, 먹고 바로 집으로 갈 거야?"

"그러려고 좀 피곤하기도 해서"

"아, 알겠어"

전날 술을 마시기도 하셨기에 하민이의 아쉬워 보이는 모습을 뒤로 하고 집에서 쉬기로 하였다. 대화가 끝나니 시켰던 메뉴가 나왔다. 우리는 말없이 라멘을 먹는 데만 집중하였다. 그렇게 우리는 빠르게 라멘을 다 먹고는 서로 각자의 집으로 갔다. 라멘집은 우리 집과 아주 가까웠기에 집에 금방 도착하였다. 집에 도착한 나는 씻고 노트북을 열었다. 노트북을 열고는 나는 고민을 하다가 잡지에 실을 글을 써내려 갔다. 굳이 학창시절 이야기니 굳이 사랑 이야기가 아니어도 될 것 같았기에 나는 학창시절 내가 꿈꿨던 직업에 대해서 현재의 직업에 대해서 나의 후회와 미련을 그리고 지환이와 하민이의 이야기도 조금 섞어 글을 써내려 갔다. 한 번 터진 타자는 순식간에 글을 끝맺었다. 그렇게 다음날 나는 내가 쓴 글을 팀장에게 보내었다. 내 파일을 확인한 팀장은 카톡으로 약간의 피드백을 해주었다. 그렇게 나는 한동안 피드백 받은 곳을 고쳤다. 그렇게 고친 결과 나는 고민거리였던 칼럼을 끝낼 수 있었다.

다음날 나는 한껏 가뿐한 마음으로 출근을 하였다. 자리에 앉아 일을 하고 있던 와중 팀장이 나를 불렀다.

"도하 씨, 지환 씨 인터뷰 좀 해와 줄 수 있어?"

"네?"

"요즘에, 인터넷에서 핫하더만 외모도 외모지만 노래도 좋다고 그러면서 도하 씨 지환 씨랑 동창이었다며 잘 좀 해주라"

"네"

지환이에 대해 물어볼 때부터 약간 꺼림칙하더니 지환이의 인터뷰를 위해서 그런 것이었다. 지환이와 비즈니스라니 상상이

잘되지 않았다. 하지만 맡은 일이니, 확실하게 해야 한다 생각
하여 지환이에게 연락을 했다.

"지환아, 뭐 하고 있어?"

금방 답장이 왔다.

"그냥 있어, 왜?"

"너 어떤 잡지사에서 인터뷰 해야 하지?"

"어떻게 알았어?"

"내가 그 잡지사 다니거든 나한테 네 인터뷰 따오라고 해서
알지"

"아, 그 잡지사에서 오는 기자가 너였구나"

"응"

"그럼, 언제 인터뷰 할래?"

"지환이 넌 언제 시간 되는데?"

"난 상관없어"

"그럼, 다다음주 월요일은 어때?"

"좋아, 그때 우리집에서 만나서 하자"

"너희 집에서?"

"응, 내가 작업하는 공간도 봐 두는게 좀 더 좋지 않아?"

"음.. 알았어"

"그래, 그럼, 그날 봐"

"응"

지환의와의 인터뷰 약속은 순조롭게 잡혔다. 인터뷰가 순조롭
게 잡혔으니 나는 인터뷰를 하는 전날까지 지환이에 대해 조사

하였다. 그렇게 지환이의 대한 정보들을 정리해 출력한 정보들을 들고 나는 지환이네 집으로 향했다. 지환이네 집앞에 도착해 초인종을 눌렀다. 초인종을 누른 지 5분 정도 지났을 때도 지환이는 문을 열어주지 않았다. 무슨 일이 생긴 것인가 걱정하고 있던 찰나 지환이네 집 문이 열렸다.

"미안, 작업하느라 헤드셋을 끼고 있었더니 초인종 소리를 못 들었어"

"괜찮아, 집중하느라 그런거니깐"

나는 지환이네 집안으로 들어갔다. 지환이네 집은 전에 왔을 때와는 사뭇 달랐다. 전에 왔을 땐 없던 장비들도 나와있었으며 악보들이 책상에 깔려 있었다. 지환이는 민망한 듯이 악보를 정리하곤 마실 음료를 주었다.

"이것도 작업하느라고 정리를 못 했네"

"괜찮아"

지환이는 내 앞에 앉았다. 인터뷰는 많이 해보았지만 지환이의 인터뷰는 어색하였다. 하지만 일을 해야 했기에 노트북을 열고 인터뷰를 하기 시작했다. 싱어송라이터를 하게 된 계기부터 어디까지 해보고 싶은지 등등 여러 질문을 하였고 그에 대한 대답을 노트북에 옮겨 적었다.

"마지막으로, 혹시 앨범을 내고 싶다는 생각을 하지는 않으신가요?"

지환이는 약간 고민을 하더니 입을 열었다.

"이번에 좋은 기회가 생겨 앨범을 낼 수 있게 되었어요."

"좋은 일이네요, 앨범의 테마는 정하셨나요?"

"네, 요즘 좋은 만남들이 많이 있어 그에 대한 이야기를 담아보려고 합니다."

"어떤 좋은 만남이 있었는지 질문해도 될까요?"

지환이는 웃으며 말하였다.

"당연하죠, 제가 말하는 좋은 만남은 제 팬분들을 의미하는 말이었습니다."

"팬분들을 많이 아끼시는군요."

"그렇죠, 저는 별 볼 일 없는 사람이라고 생각했는데 제 팬분들이 절 대단한 사람으로 만들어 줬으니까요"

"그렇군요, 그럼, 앨범 기대할게요, 오늘 인터뷰 응해주셔서 감사했습니다."

"네"

지환이의 대답을 듣고 나는 녹음을 끝냈다. 지환이와 눈이 마주치고 우리는 웃음 터졌다.

"아, 너무 어색했어"

"그러니깐"

"도하 네가 일하는 거 보니깐 신기하다"

"그런가"

"응, 근데 사실 너도 포함되어 있는 거 알지?"

"뭐 말하는 거야?"

"좋은 만남"

"내가?"

"응"

"난 왜?"

지환이는 장난스럽게 웃더니 대답하였다.

"그건 비밀이야"

지환이의 말에 굳이 계속 묻진 않기로 하였다. 예전과 비슷한 일이 일어날지도 모르는 일이기 때문이었다.

"알겠어"

"근데 도하 너 다시 회사로 돌아가 봐야 하지?"

지환이가 나에게 질문을 한 후 바로 카톡이 도착하였다. 인터뷰 끝난 후 바로 퇴근하라는 이야기였다.

"아니, 나 방금 퇴근했어"

"축하해, 집 바로 갈 거야?"

"응, 너 작업해야 하는 거 아니야?"

"그렇긴 한데 거의 다 끝났어, 같이 얘기 좀 하다 가면 안 돼?"

나는 예나 지금이나 지환이가 조르는 것에 너무 약했다.

"알겠어"

지환이는 대답을 듣자마자 책상 위에 있던 음료를 치우고 냉장고에서 술을 꺼내왔다.

"나랑 한 캔만 마시자"

평소보다 일찍 퇴근도 하였고 집도 몇 층만 내려가면 되니 한 캔 정도는 마시기로 하였다.

"좋아"

우리는 천천히 술을 마시며 편안하게 이야기하고 있었다. 그러던 중 지환이는 우물쭈물하며 이야기하였다.

"나 고민이 있는데"

"뭔데?"

"넌 잡지사 다니니깐 아는 포토그래퍼들 좀 있지 않아?"

나는 인터뷰를 따고 다니는 사람이라 그다지 아는 사람들은 많지는 않지만, 인터뷰하느라 알게 된 사람들도 있었기에 그렇다고 대답하였다.

"있긴 하지"

"혹시 그럼 괜찮은 사람 한 명만 소개시해줄 수 있을까?"

"갑자기?"

"응, 이번에 나 앨범 내는데 도와주시는 분께서 앨범을 일러스트로 하지말고 내 사진으로 해보자고 하셔서 혹시 안 될까?"

"안 되는건 아닌데"

"나도 그리 친한 건 아니어서"

지환이는 약간 씁쓸한 표정으로 대답하였다.

"아, 알겠어"

그렇게 어색한 분위기로 지나나 했지만 지환이가 화제를 바꾸어 이야기하기 시작했다. 한참을 지환이와 이야기하였고 우리의 맥주는 바닥이 보였다. 그렇게 나는 슬슬 집에 가본다고 하곤 지환이의 집에서 나와 우리 집으로 향하였다. 집에 도착하여 누워 폰을 보고 있던 와중 지환이의 부탁이 생각나며 또 다른 한 사람이 생각이 났다. 하민이라면 괜찮지 않을까란 생각을 하였다. 그렇게 지환이에게 메시지를 보냈다.

"지환아"

지환이는 아무것도 하고 있지 않았는지 바로 답장이 왔다.

"왜?"

"아, 그 내가 친한 포토그래퍼가 있는데 그 사람이라도 괜찮으면 같이 작업하는 거 물어볼까?"

"누군데?"

"이하민이라고 우리 고등학교 동창인데 기억해?"

"당연히 기억하지"

"어떻게 할까?"

지환이는 약간 고민하는 듯 좀 오랫동안 답장이 오지 않았다. 그러고는 어느 정도 시간이 지난 후 답장이 왔다.

"물어봐 주라"

"알겠어"

나는 하민이에게 메시지를 보냈다.

"하민아, 뭐해?"

하민이는 하는 일이 있었는지 한 삼십 분 정도 뒤에 연락이 왔다.

"나 자다 일어났어"

이 시간대에 하민이가 잠을 자고 일어나다니 약간 의외였다.

"아, 잘 잤어?"

"뭐, 그냥저냥, 그래서 왜 연락했어?"

"내 지인 중에 앨범을 내는 사람이 있는데 너한테 같이 앨범 표지 작업하는거 물어봐달라고 해서"

"아, 그 지인이 누군데?"

"백지환이라고 아마 너도 알 거야"

"아, 그 고등학교같이 나온?"

"맞아"

하민이 또한 고민하다가 답장이 왔다.

"좋아, 할게"

"알겠어, 그럼, 지환이한테 전할게"

나는 바로 지환이에게 연락을 했다.

"지환아, 하민이가 같이 작업하겠대"

지환이는 내 연락을 기다리고 있었는지 바로 연락을 보았다.

"고마워, 혹시 이하민 전화번호 알려줄 수 있을까?"

"아, 알겠어"

나는 하민이와 지환이에게 둘의 전화번호를 주었다. 그렇게 둘은 작업에 들어가게 되었고 나도 나의 칼럼이 실린 잡지의 마지막 확인이 시작되었다.

제 4 화

  마지막 확인이 끝나고 잡지를 시중에 내놓은 지 시간이 꽤 지났다. 잡지를 사 간 사람들 사이에서 내 글은 꽤나 호평을 받았다. 이미 성인이 되어 직업을 가진 사람들은 옛날 생각이 난다던가 과거 하고 싶었던 일들에 대한 게 생각이 난다는 말들이 많았고 진로에 대해 고민이 많은 학생들은 공감이 되었다는 말들이 많았다. 그렇게 나는 회사에서 수고했다며 보너스도 받고 꽤나 좋게 지내고 있었다. 그러던 중 지환이에게 연락이 왔다.

  "도하야, 오늘 우리 집에서 놀래?"

  "좋아"

  최근 좋은 일도 많아 컨디션도 좋았기에 딱히 고민하지 않고 수락하였다. 그렇게 퇴근 시간이 되고 나는 들뜬 마음으로 지환이 집으로 향하였다. 지환이네 집 앞에서 초인종을 눌렀다. 문은 빨리 열리지 않았지만 안은 소란스러운 듯했다. 조금 바쁜 듯하여 집에 잠깐 들렀다기로 하여 지환이에게 메시지를 남기고 집으로 향했다. 집에 도착해선 조금 더 편안한 옷으로 갈아입고 짐들을 놓고 다시 지환이네로 향하여 다시 초인종을 눌렀다. 이번엔 금방 문이 열렸다. 문 뒤로는 두 명의 실루엣이 보였고 '펑'하는 소리와 함께 하민이와 지환이의 목소리가 들렸다.

"생일 축하해"

나는 급히 폰을 쳐다봤다. 10월 6일 정확히 내 생일이 맞았다. 내 모습을 본 하민이가 입을 열었다.

"너 또 네 생일 까먹었지?"

"어.. 고마워"

지환이와 하민이는 뿌듯한 듯 웃었고 나는 지환이네로 들어갔다. 내부는 급하게 꾸며놓은 듯한 느낌이 들었지만, 누군가 내 생일을 이렇게까지 챙겨준 건 오랜만이었기에 고마운 마음뿐이었다. 우리는 식탁에 앉아 케이크를 먹으며 이런저런 이야기를 하였다.

"근데 하민이랑 지환이 너희 둘은 어떻게 친해진 거야?"

하민이와 지환이가 서로를 쳐다보곤 하민이가 먼저 이야기하였다.

"일하다가 친해졌지"

"그치, 그거 아니면 우리가 친해질 일이 뭐가 있었겠어"

"하긴 그렇네"

잠시 정적이 흐르려나 싶던 찰나에 지환이가 폰을 보여주며 들뜬 목소리로 이야기하였다.

"나 이제 앨범 준비 거의 다 끝나서 곧 노래 나와"

"언제 나오는데"

"10월 26일"

"축하해"

지환이는 폰을 들어 사진 하나를 보여주었다.

"이거 앨범 표지로 나갈 건데 어때?"

"분위기 완전 좋은데?"

"그치, 하민이가 완전 잘 찍어줬어"

하민이는 쑥스러운 듯 고개를 돌렸다. 그 모습들을 보니 내 마음속 어딘가가 이상했다. 하지만 그냥 기분 탓이라 생각하고 지환이가 앨범을 내는 것을 축하하며 그날 밤 함께 계속 마시며 놀았다. 새벽 2시쯤 나는 알딸딸한 기분 좋은 상태였다. 그때 술이 약한 지환이가 방에 들어가 자기 시작했다. 결국 나는 하민이와 단둘이 음식들을 치우기 시작했다. 지환이와 하민이는 같이 일을 시작하면서 둘의 집을 자주 드나들기 시작했다고 하였다. 그래서 그런 것일까 하민이는 지환이네 집을 치우는 데 익숙해 보였다. 그렇게 다 치우고 난 후 우리 둘의 눈이 마주쳤고 웃음이 터졌다.

"우리 둘이 조금 더 놀까?

나는 하민이의 말에 즐거운 듯 웃으면 대답하였다.

"좋아"

우리는 지환이의 냉장고에 넣어놨던 남은 맥주캔을 하나씩 꺼내 마시며 이야기하였고 술을 다 마셨을 때 꽤나 취해있던 나는 집으로 돌아갔다. 그렇게 집에 들어와서 아무것도 하지 못하고 침대에 누워 바로 잠들게 되었다. 그렇게 자고 일어나 추태를 보이진 않았을까 걱정되어 어제의 일들을 되짚어 보기 시작하였다. 하민이와 단둘이 술을 마시며 이야기를 하다가 우리 둘은 과거까지 올라가기 시작했다. 나는 꽤나 알딸딸한 상태였기에 제대로 기억은 나지 않지만 하민이의 그 말만은 확실하게 기억한다.

"사실 나 너 좋아했었어"

이 뒤에 어떤 말을 했었는지는 기억이 나지 않는다. 어제 있었던 일들을 다 되짚어보곤 나는 안심하며 일어나 샤워를 했다. 시원한 상태로 나는 해장을 할 겸 마라탕을 시키려던 참에 하민이에게 연락이 왔다.

"도하야, 어제 잘 들어갔어?"

"어, 잘 들어갔어"

"우리 해장하러 갈 건데 같이 갈래?"

하민이의 만나자는 말에 어제 있었던 일이 다시 떠올랐다. 지환이도 같이 껴있다곤 하지만 만나기는 아직 어딘가 불편했기에 거절하였다.

"미안, 나 이미 해장할 거 배달로 시켰어"

"알겠어"

그렇게 나는 마라탕을 시키고 배달이 오는 동안 마라탕을 먹으면서 볼 영화를 고르고 있었다. 어떤 영화를 볼지 고민하던 중 나는 내가 가장 좋아하는 영화를 보기로 결정하였다. 처음 보았을 때 극장이었는데도 불구하고 펑펑 울었던 영화이다. 그랬던 탓일까 새드엔딩이지만 정말 여운이 오래갔던 영화였으며 당시에 소설을 쓸 땐 그 영화의 느낌과 정말 닮아있었다. 그렇게 영화를 다 정했을 때 현관문 벨 소리와 함께 배달이 도착했다는 메시지가 왔다. 나는 먹는 양이 좀 적었기에 마라탕을 먹을 만큼만 덜고 나머지는 냉장고에 넣었다. 덜어놓은 마라탕은 식기도구들과 함께 세팅한 후 영화를 틀고 먹기 시작했다. 영화를 다 보니 시간은 훌쩍 지나 벌써 3시가 가까워져있었다. 남은 시간은 무엇을 할까 고민하던 중 전에 취미로 쓰고 있던 글을 이어쓰기로 결정하곤 노트북을 열었다. 마지막 문장은 '꿈을 꾸고 싶었던 날이었다.'였다. 나는 글을 이어 나가기 시작했다.

'하지만 꿈을 꾸지는 못했고 잠에서 깬 후엔 창밖을 바라볼 뿐이었다.'

.

.

'그녀가 눈을 감은 순간 눈물이 흘러내렸다. 그것이 눈물이란 것을 알고는 있었지만, 그녀는 모르는 체하였다.'

이 문장을 끝으로 나의 글이 끝이 났다. 페이지 수를 보니 80 페이지가 약간 넘어갔다. 단편소설이었다. 장편 소설 또한 써보고 싶었지만, 취미로밖에 쓸 수 없는 글이니 단편으로밖에 쓰지 못하는 것이라 합리화를하곤 샤워를 하고 나와 잠자리에 들었다. 그렇게 하루가 지나고 다음 날이 지나고 평일이 되었으며 다시 주말이 돌아오고 이렇게 하루이틀 시간이 지나가고 드디어 지환이의 앨범이 나오는 날이었다. 지환이의 앨범 솔직히 정말 기대가 되었다. 지환이의 노래를 매력 있고 하민이가 찍어준 사진 또한 눈길을 끌만큼 아름다웠었기에 꽤나 인기가 있을 것 같다고 생각하고 있었다. 그렇게 시간이 흘러 나는 퇴근을 하였고 집에 와서 노래를 들었다. 타이틀곡 하나에, 수록곡 세 개 모든 곡을 듣고 나니 지환이에게서 연락이 왔다.

"노래 어땠어?"

"너무 좋은데?"

"진짜?"

"응, 뭔가 따뜻하고 나긋한 느낌이라서 너무 좋았어"

"아, 다행이다."

지환이가 걱정했던 것과는 다르게 성과는 점점 보이기 시작했다. 음원차트10위 안으로 들어갈 정도로 사람들의 눈길을 끌었다. 그렇게 지환이가 유명해지며 하민이 또한 인지도가 생기게 되었다. 둘을 보고 있던 중 또다시 어딘가 울렁거렸다. 이유는 모르겠지만 아마 체했기에 울렁거리는 거라 생각하여 소화제를 먹고 일찍 잠에 들었다. 다음날 일어나자 잠금화면에 지환이의 유튜브 알림을 보았다. 지환이의 유튜브에 들어가니 비밀 수록곡이란 이름으로 영상이 하나 올라와 있었다. 영상을 틀어보니 하민이와 앨범 작업 비하인드와 앨범에는 없었던 새로운 곡이었다. 이 노랜 하민이와 지환이, 나의 이야기를 담은 이야기인 걸 들어보니 알 수 있었다. 이 노래는 올라온 지 얼마 되지 않았는데도 인기 동영상으로 올라갔다. 비하인드에는 하민이의 잠깐씩 출현했기에 하민이의 외모도 언급되며 하민이의 인지도도 점점 올라가기 시작했다. 그렇게 며칠 후 회사에 출근하였을 때 팀장이 다시 나를 불렀다.

"도하 씨, 혹시 하민 씨랑 지환 씨 둘 다 인터뷰하는 거 가능해요?"

지환이가 앨범을 내고 난 후 하민이와 지환에게 카톡으로 축하만 해준 뒤 둘이 바빠져 계속 만나지 못 하고 있던 상황이라 팀장님의 제안이 정말 반가웠다.

"네, 당연하죠"

그렇게 나는 바로 하민이와 지환이에게 연락을 했다. 그 둘은 많이 바쁜지 예전엔 바로 오던 답장이 오지 않았다. 무언가 이상한 기분이 들었지만 나 또한 밀려있는 일들이 좀 있었기에 그냥 무시하고 계속 일을 했다. 그렇게 퇴근 후 집에서 쉬고 있을 때 초인종 소리가 들렸다. 밖으로 나가보니 하민이와 지환이가 서 있었다.

"도하야, 우리 이사해"

"어?"

"우리 돈을 벌게 돼서 이사하게 됐어"

"둘이 같이 살아?"

"아니, 그건 아닌데 둘 다 작업실이 필요해서 작업실로 쓸 수 있는 빌라로 이사가게 됐어"

"아, 그럼 언제 가는거야?"

"3주뒤쯤 갈 것 같아"

"얼마 안 남았네"

"아쉬워?"

"당연하지"

"걱정하지 마, 여기랑 가까운 데 있으니깐 시간 괜찮을 때 만나자"

"응"

집으로 돌아와 많은 생각이 들었다. 지환이와 하민이 둘 다 자신이 원하는 일들을 하며 점점 자리를 잡아가고 있는데 나는 내가 그다지 원치 않던 일들을 하며 살아가는 게 조금 슬퍼진 날이었다. 슬퍼진 마음을 가다듬고 나는 다시 글을 쓰려 노트북을 열었다. 글의 소재를 찾기 위해 인터넷을 서핑하던 도중 하나의 광고가 나의 눈길을 끌었다. 작가가 아니어도 책을 만들어 낼 수 있는 사이트였다. 나는 사이트를 들어가 보곤 전에 썼던 칼럼들이 꽤 괜찮은 반응을 끌어냈었기에 내 책을 내도 괜찮을 것 같다는 생각이 들어 슬펐던 마음이 희망으로 바뀌게 되었다. 그렇게 나는 새로운 글을 쓰는 것을 포기하고 단편으로 써놓았던 글들 중 괜찮은 것들을 모아 다듬기 시작했다. 그렇게 다듬기 시작한 지 3일째쯤 되었을 때 글을 다듬는 게 끝이 났다. 나는 다듬은 글을 메일로 출판사에 보낸 후 나는 회사의 일을 하기 위해 전에 만들어 두었던 하민이와 지환이의 단톡방에 카톡을 하였다.

"얘들아, 이번에도 너희 인터뷰 내가 하게 되어서 혹시 시간 언제가 괜찮을까?"

지환이와 하민이는 함께 있었는지 하민이의 대답에 지환이와의 일정도 같이 담겨있었다.

"한 3일 뒤 금요일이 좋을 것 같아"

"알겠어"

"그럼 장소는 이사한 집으로 올래?"

"좋아"

그렇게 나는 일을 하면서도 출판사와도 연락을 주고받았다. 책이 나오기까지는 3주에서 4주정도 걸린다고 하였다. 하민이와 지환이에게 이야기하는게 좋으려나란 생각이 들긴 하였지만 아직 이야기하지 않도록 하였다. 그렇게 일에 집중하고 있던 때 옆에서 가은 씨가 말을 걸었다.

"도하 씨, 또 지환이 인터뷰 따오는 거였죠?"

"네"

"부럽네요, 이번엔 그 잘생긴 포토그래퍼도 함께 인터뷰하죠?"

"네, 둘 다 같이 해오라고 하셔서요"

"도하 씨는 포토그래퍼하고도 아는 사이에요?"

"네, 고등학교 땐 같이 하고도 했었으니깐요"

"그럼 지환이랑도 친했어요?"

"네, 지환이가 고등학교 때 넉살이 좋았었거든요"

"진짜요? 지환이 라이브에선 굉장히 차분하고 내성적이게 보였거든요”

“고등학생 때부터 시간이 꽤 지났으니깐요”

“그쵸”

가은 씨는 잠시 조용해지나 싶었더니 머뭇거리다 나에게 부탁하는 말을 하였다.

“혹시 이번에 인터뷰 갈 때 지환이 사인 한 장만 받아주실 수 있나요?”

지환이는 팬을 꽤 아끼고 내가 부탁하면 잘 들어주니 사인 정도는 해줄 테지만 가은 씨의 부탁이 어딘가 내키지 않았기에 확답을 주진 않았다.

“물어는 볼게요”

“고마워요”

가은 씨는 나의 대답을 긍정적으로 받아들였는지 기쁘듯이 일을 하였다. 그렇게 시간은 흘러 내 책이 나오는 것보다 하민이와 지환이의 인터뷰가 빨리 시작되었다. 그렇게 인터뷰 날이 되었고 나는 하민이와 지환이를 오랜만에 만난다는 생각에 기분 좋게 둘의 집으로 향했다. 인터뷰 장소는 하민이의 집에 있는 하민이의 작업실을 한번 찍고 지환이네 집에서 진행하기로 하였다. 그렇게 나는 하민이와 지환이를 만나 하민이의 작업실을 찍곤 지환이네 집에서 하민이와 지환이의 인터뷰를 시작하였다.

“두 분은 어떻게 알게 되셨나요?”

“제가 포토그래퍼를 찾고 있던 도중 고등학교를 같이 나온 친구가 하민이를 소개시켜줬어요”

"제가 알기론 두 분은 고등학교 동창이라고 하던데요?"

"맞아요, 서로 이름만 들어본 사이지만 이번 작업을 통해 친해졌어요"

"그럼 작업을 하며 서로 맞지 않던 점이나 힘들었던 점은 있었나요?"

"하민이와 취향이 비슷했기에 딱히 힘들었던 점은 없었어요"

"맞아요, 하지만 지환이가 인물이 좋아서 사진 고르는 데는 좀 힘들었지만요"

"그렇군요"

"지환 씨의 유튜브에 올라간 비하인드 영상에는 앨범에는 들어가 있지 않은 노래가 있던데 그 노래는 어떤 의미인지 물어봐도 괜찮을까요?"

"그 노래는 주제가 앨범과는 좀 많이 달랐기에 넣지 않고 하민이와의 비하인드 영상에 노래를 넣었어요."

"그렇군요"

"이번에 지환씨가 앨범을 내면서 하민 씨의 인지도도 함께 쌓였는데요, 혹시 하민씨는 다른 일은 없나요?"

"아, 이번에 지환이의 작품을 보곤 저를 좋게 봐주신 분 덕에 전시회를 열 수 있게 되었어요."

"좋은 일이네요."

"네"

그렇게 몇 가지의 질문을 더 하곤 지환이와 하민이의 인터뷰는 끝이 났다. 이번에도 팀장님께서 인터뷰가 끝나면 바로 퇴근을 하라고 하였기에 집들이 겸해서 오랜만에 하민이와 지환이와 놀게 되었다. 인터뷰가 끝난 지 얼마 되지 않았기에 하민이와 지환이는 서로 일에 대해 이야기 하고 있었다. 들어보니 지환이의 사진이 하민이의 전시회에 쓰이기로 한 것이었다. 그렇게 듣고 있던 중 하민이가 나에게도 말을 걸었다.

"도하야, 저번에 찍었던 사진 중 몇 개 전시회에서 써도 될까?"

당황스러운 이야기였다. 나는 딱히 전시회에 올라갈 만한 외모가 되지 않는다 생각했기 때문이다. 하지만 하민이에게 도움이 된다면 꽤 좋다고 생각했기에 수락하였다.

"좋아"

수락하자마자 하민이는 말을 덧붙였다.

"그럼 혹시 전시회에서 쓸 사진 몇 개만 더 찍어도 될까?"

"그래"

그렇게 일 이야기는 대충 끝이 나고 우리는 최근 만나지 않았던 만큼 더 즐겁게 놀았다. 시간이 꽤 지났을 때쯤 저번과 같이 지환이는 먼저 뻗어버렸고 나와 하민이는 뒷정리를 하였다. 뒷정리가 끝난 후 집에 가려던 나에게 하민이는 나는 붙잡고 말하였다.

"밤은 위험하니깐 우리 집에서 자고 가"

이건 무슨 의미일까란 생각이 들며 난 당황한 기색을 감추지 못했다. 내가 당황했단 것을 안 건지 자신의 말이 이상했단 걸 안 건지 하민이는 뒤에 말을 덧붙였다.

"나는 지환이 집에서 잘 테니깐 너는 우리 집에서 혼자 자"

집까지 가기 귀찮기도 하였고 하민이는 나에게 따로 뭔 짓을 하는 애는 아니었으니 수락하였다.

"그럼 고맙지"

나는 하민이와 함께 지환이네 집에서 나와 하민이의 집으로 향했다. 하민이는 나에게 편한 옷을 주곤 어디서 자는지, 화장실과 들어가거나 만지면 안 되는 곳을 알려주었다. 그렇게 하민이는 다시 지환이 집으로 향했고 나는 방에서 옷을 갈아입고 화장실에서 화장을 지우고 나왔다. 화장실에서 나온 순간 거실 식탁에 있던 눈에 익은 종이 한 장이 보였다. 무슨 종이일까 하며 가까이 갔다. 그 종이는 내가 고등학생 시절 하민이의 생일날 써준 편지였단걸 알 수 있었다. 이걸 아직도 곁에 두고 읽고 있다는 것이 부끄러워졌다. 그래도 다시 읽어본 편지 속 나는 풋풋하였다. 그렇게 나는 방으로 들어가 잠을 청했다.

다음날 도어락 소리와 함께 문 너머에서 하민이의 목소리가 들렸다.

"도하야, 지환이랑 해장하러 갈 건데 같이 갈래?"

나는 침대에서 일어나며 크게 말하였다.

"알겠어"

"그럼, 준비 다 하고 지환이네 집으로 와"

"어"

하민이는 내 대답을 듣곤 다시 밖으로 나갔다. 나는 준비를 하곤 지환이네 집 앞에 도착해 초인종을 눌렀다. 지환이네 문을 연 건 지환이가 아닌 하민이었다. 지환이는 씻는 중이었고 하민이와 함께 남아있게 되었다.

"어제 고마웠어"

"아냐"

"어제 입었던 거 방에다가 개어 놨어"

"알겠어"

그렇게 이야기가 끝날 때쯤 지환이가 나왔다.

"도하 벌써 왔네"

그렇게 지환이는 옷을 갈아입으러 방으로 들어갔다 금방 나왔다. 그렇게 우리는 해장을 하러 밖으로 나섰다. 우리는 근처에 있는 라멘집으로 향했다. 전에 하민이와 함께 갔던 곳이었다. 꽤나 맛있던 곳이라 그 후 가끔씩 배달을 시켜 먹었다. 그렇게 우리는 라멘을 먹으며 시답지 않은 이야기를 하곤 우리는 헤어졌다. 그렇게 나는 집으로 돌아가던 중 하민이와 지환이에게 책을 낸다는 것을 이야기한다는 것을 깜빡했단 걸 기억났다. 언젠간 말을 해야 하지만 언제 말을 하는 게 좋을지 계속 생각하다 보니 집까지 금방 도착하였다. 그렇게 나는 씻고 나온 후 출판사와 연락을 하였다. 아마 다음 주라면 책이 시중에 나올 것이라는 이야기였다. 그렇게 주말이 지나고 출근을 하였고 그때 가은 씨가 부탁했던 것이 떠올랐다.

"도하 씨, 싸인 어떻게 됐어요?"

"미안해요, 그날 너무 바빠서 못 물어봤어요"

"아, 괜찮아요"

"다음에 만났을 때 물어볼게요"

"네, 고마워요"

가은 씨에겐 미안했지만 지환이와는 하민이의 작업을 도와줄 때 만날 수 있으니 그때 물어보기로 생각하였다. 그렇게 집으로 돌아와 폰을 보니 하민이에게서 연락이 와 있었다.

"도하야, 혹시 다음 주 주말에 시간 있어?"

"어, 시간 있어"

"그럼 다음주 토요일에 작업실로 와줄 수 있어?"

"알겠어"

그렇게 하민이와의 대화가 끝나고 하루 이틀 지나 금요일이 되었다. 나는 다음날 어떻게 하고 가면 되는지 모르겠어서 하민이에게 연락을 보냈다.

"혹시 내일 어떻게 하고 가면 될까?"

"많이 꾸미진 않아도 될 것 같아"

"알겠어"

모호한 말이었지만 평소보다 화장과 머리를 더 신경을 쓰고 갔다. 하민이 집에 도착하자 하민이는 바로 문을 열어주곤 자신의 작업실로 데려갔다. 그곳에는 남녀 상관없는 다양한 옷들과 소품들이 자리하고 있었다. 그렇게 나는 일단 내가 하고 온 대로 사진을 찍기 시작했다. 한두 장 사진을 찍고 나더니 하민이는 잠시 카메라를 끄고 나에게 말을 걸었다.

"도하야, 무슨 고민 있어?"

"왜?"

"고민 있어 보이는 표정이라"

나를 오래 봐왔던 사람이라 그런가 나를 너무 잘 파악했다.

"아냐, 이따가 말해줄게"

"그래"

정확하게 말을 하진 않았지만 그래도 말할 타이밍은 잡을 수 있겠다 싶어 어느 정도 편안한 마음으로 다시 촬영을 하기 시작하였고 꽤 여러 장을 찍은 후 우리는 쉬는 시간을 가지게 되었고 쉬는 시간에 맞춰 지환이가 놀러 왔다. 지환이는 하민이에게 여태껏 찍은 내 사진을 보여달라고 하였고 내 사진을 보며 둘은 심각한 듯 이야기하기 시작했다. 그렇게 쉬는 시간 끝나갈 때쯤 하민이는 여러 옷이 있던 곳으로 가 옷 한 벌을 고르고는 나에게 건네며 입고 오라 하였다. 하민이의 말대로 옷을 갈아입은 나는 다음엔 지환이에게 붙잡혀 꾸며지기 시작했다. 그렇게 꾸며진 나는 촬영을 계속하였고 여러 다른 스타일의 옷을 입고 난 후에야 촬영이 끝났다. 그렇게 우리는 저녁을 같이 먹기로 하였다. 오늘 저녁은 사 먹는 것이 아니라 잠깐 나갔다 온다며 식재료를 사가지고 온 지환이가 해준 음식을 먹기로 하였다. 지환이가 한 요리는 먹어본 적이 없지만 지환이의 유튜브의 모습으론 나름 잘하는 것처럼 보였다. 지환이가 해준 음식을 다 먹고 나와 하민이는 함께 뒷정리를 하였다.

"그래서 아까 고민하던 건 뭔데?"

"아, 그거"

내가 우물쭈물하며 말을 못 하고 있자 하민이는 나를 배려하

듯 이야기하였다.

"조금 더 이따가 이야기하던가"

"응"

우리는 정리를 다 끝내고 하민이가 집에 있었던 핫초코 분말 스틱을 꺼냈기에 핫초코를 타서 함께 마시게 되었다. 지환이와 하민이가 일에 대한 이야기를 한 후 잠시 정적이 흐를 때 나는 입을 열었다.

"나, 단편집 내"

지환이와 하민이는 아무렇지 않은 듯 대답하였다.

"축하해"

"응, 근데 별로 안 놀라네?"

"응, 너라면 그럴 줄 알았거든"

"아, 그렇구나"

"응, 그래서 단편집?"

"응, 일반인 책도 내준다는 사이트를 찾아서 내보기로 결정했어"

"언제 나오는데?"

"다음 주 금요일에 나올 것 같아"

"축하해"

지환이와 하민이는 무덤덤한 것 같기도 어딘가 들뜬 것 같기도 한 목소리로 축하해주었다.

핫초코를 담은 컵의 바닥이 보이게 되고 나는 더 늦으면 집에 가지 못할 것 같기에 집에 가기로 하였다.

"그럼 나 이제 가볼게"

나는 무거운 짐을 내려놓아 그런가 집 가는 발걸음이 가벼웠다. 그렇게 나는 집에 도착해 씻고 잠에 들었다.

"빨리 다음 주 금요일이 되면 좋겠다."

그렇게 잠이 들고 일요일이 지나 월요일이 되었다. 회사에 나갔다. 또 가은 씨의 부탁을 까먹었다. 일부러 지환이에게 부탁하지 않은 것이 아니었지만 미안한 마음이 들었다. 그렇게 하루 이틀이 지나고 금요일이 되었다. 뭔가 몸도 평소보다 가벼워 일이 잘되고 나의 모든 컨디션이 좋은 듯 보였다. 아마 금요일이라 그런듯하다. 그렇게 내 책이 다른 작가들의 책 사이에서 팔리게 되었다. 처음은 설렜지만 조금 시간이 지나니 별 감흥이 없었지만 그래도 내 책을 알아주는 몇 명이 있었다. 하민이와 지환이 그리고 가족들이었다. 덕분에 내 책은 조금씩이나마 팔리게 되었고 과거 기자 일로 인해 친분을 쌓았던 일러스트레이터분이 표지를 도와주셨던 덕분에 그 ,일러스트레이터분의 팬분들과 지환이의 라이브에서 내 책을 본 사람들 중 몇몇이 내 책을 찾아 사주었고 그렇게 내 책은 점점 팔리기 시작하며 조금씩 후기가 쌓이기 시작했다. 그렇게 쌓인 후기들은 대부분 평이 좋았다. 덕분에 내가 글을 못 쓴다는 생각은 점점 잊혀지며 나도 지환이와 하민이처럼 내 꿈에 도전해보고 싶다는 생각이 들기 시작했다. 하지만 소설가라는 꿈은 현실적으로 조금 위태로운 직업이기에 망설이는 마음도 함께 따라왔다. 그럼에도 책의 후기가 점점 쌓이는 것을 보며 내 꿈을 위해 떠나고 싶다는 생각

이 점점 더 커졌다. 그렇게 망설이고 있던 찰나 하민이에게서
연락이 왔다. 오랜만에 술이나 먹자는 말이었다. 나는 하민이와
만나지 꽤 되었다고 생각했기에 수락하였고 하민이와 만나게 되
었다. 우리는 올해 초에 갔었던 치킨집을 가게 되었다. 그렇게
치킨집에서 만나게 되었다. 자리에 앉아 음식을 주문하고 이야
기를 하기 시작했다. 처음엔 시시콜콜한 이야기를 하다가 하민
이가 우물쭈물하더니 이야기를 꺼냈다.

"나 다음 주 토요일에 개인전 개최해"

오랜 기간 하민이가 심혈을 기울여 준비했던 개인전이 열린다
는 말이었다. 말을 듣는 순간 마음속 어딘가 응어리지는 느낌이
있었다. 그럼에도 하민이의 전시회가 열리는 것을 축하한다고
생각하고 있었기에 하민이에게 축하한다는 이야기를 전했다.

"축하해"

"고마워"

그렇게 이야기하고 하민이는 다시 말을 꺼냈다.

"도하야, 너 혹시 무슨 고민 있어?"

"어? 왜?"

"뭔가 만났을 때부터 고민 있어 보여서"

이번에도 하민이는 나를 잘 파악했다. 나는 하민이라면 털어
놓아도 될 고민이라 생각했기에 하민이에게 내가 하고 있던 고
민들을 다 이야기하였다. 하민이는 내 이야기를 듣곤 잠시 고민
하더니 말을 꺼냈다.

"괜찮지 않아?"

"뭐가?"

"너 소설가 하고 싶다며, 지금 반응도 꽤나 좋은편이고 그 사람들 중 몇 명은 네 글을 읽고 네 글에 반한 사람들도 있지 않을까?"

"만약 없으면?"

"아니, 있을걸"

"그걸 네가 어떻게 알아?"

"내가 그랬으니깐, 너만의 매력이 있어"

나도 모르게 웃음이 나왔다. 현실적으로 산다고 생각했던 하민이에게서 이런 말을 들을 줄은 몰랐기 때문이다.

"고마워, 덕분에 한결 편해졌어"

"그럼, 다행이네"

그렇게 나는 하민이와 편안하게 술을 마시다 집으로 돌아갔다. 나는 집에 돌아와 통장을 보았다. 20대 초반부터 열심히 모았던 돈들이 쌓여있었다. 그날 나는 한참 고민을 하다 잠에 들었다.

그렇게 하루 이틀 지나 하민이의 개인전 날이 다가왔다. 나는 하민이의 초대를 받아 개인전에 가게 되었다. 개인전에 도착하자 하민이는 나를 반겼고 작품들에 대해서 이야기해주며 관람 동선의 끝부분에 도착하게 되었다. 그곳에는 하민이, 나 그리고 지환이의 사진이 있었고 나는 천천히 구경하기 시작했다. 그곳에서의 나는 많은 모습들을 하고 있었다. 지환이와 하민이 또한 그랬다. 그럼에도 불구하고 나의 눈을 사로잡았던 건 하민이와 지환이의 작업 모습이었다. 나는 보다가 약간의 울렁거림을 느껴 하민이를 쳐다보곤 정말 좋다며 잘 봤다고 이야기 하곤 밖으로 나와 집으로 향했다. 집에 오는동안 생각해보았다. 왜 울렁거림이 느껴졌는지에 대해 집에 도착해 침대에 누워서도 계속 생각해 보았다. 그동안 느껴왔던 답답한 감정들을 모두 생각해 았다. 계속 생각해보니, 나는 꿈을 이룬 둘을 부러워하고 있단 걸 알게 되었다. 그리고 그 감정을 애써 무시하려고 했단것도..

아침이 밝았다. 오늘은 휴일이라 집에서 쉬려고 했지만, 집에 있으니 너무 무료해 밖으로 나갔다. 동네를 돌아다니던 중 어느 작은 책방을 발견했다. 젊은 여자 사장님이 하시는 곳이었다. 모든 곳이 흑백처럼 보이던 중 유일하게 따뜻한 빛을 내던 그 책방에 들어가게되었다. 아무 생각 없이 둘러보다가 내 책을 발견했다. 나는 책을 들곤 이리저리 보고 있었다. 그러던 중 사장님이 나에게 다가와 말을 걸었다.

"그 책 사시려고요?"

"네? 고민 중이에요"

"저도 이 책 읽어봤는데 정말 좋더라고요"

"읽어보셨어요?"

"당연하죠, 저희 가게에 있는 책들은 모두 제가 읽어보고 좋았던 글들을 모아놓은 곳이거든요"

나는 이야기를 하며 반짝거리는 사장님을 보며 웃음이 났다.

"그래서 이 책방이 따뜻한가 봐요"

사장님은 내 말을 들곤 잠시 놀란 듯 보였지만 바로 웃으며 대답하였다.

"그랬다니 정말 감동이네요"

나는 사장님과 조금 얘기를 더 하다가 내 책을 사게 되었다. 샘플로 집에 이미 있지만 그곳에 있던 내 책은 따듯해 보였기 때문이다. 그렇게 나는 회사를 관두기로 결정하였다.

월요일 아침이 밝았다. 나는 두근거리는 마음으로 회사로 향했고 도착한 후 부장님께 가서 사직서를 드렸다. 그렇게 나는 퇴사 절차를 밟게 되었고 한 달쯤 지나 나는 이제 회사와 이별해야 할 순간이 왔다. 그렇게 짐 정리를 하고 있을 때 가은 씨가 내 곁으로 와 퇴사 선물이라며 향초를 주었다. 선물을 받은 나는 저번에 지환이를 만났을 때 받아둔 싸인과 함께 티백세트를 건네주었다. 그렇게 회사에서 친했던 동료와의 마지막 인사를 끝내고 나는 밖으로 향했다. 발걸음이 가볍고 모든공기가 상쾌하고 따듯하게 느껴졌다. 그렇게 밖으로 나오니 하민이와 지환이가 차를 타고 나를 데리러 왔다. 나는 차를 타고 하민이와 지환이와 함께 집으로 향했다.

"도하야, 이제 뭐 할 거야?"

"나 여행 다니려고"

"어디로?"

"일단 일본부터 가보려고"

"그래, 잘 갔다 와"

"응"

작가의 말

저는 고등학교 동아리를 통해 책을 쓰게 되었어요. 1년이 채 되지 않는 시간동안 책을 완성하는 게 굉장히 힘들었지만 그럼에도 정말 많은 것을 느끼게 해준 것 같아요. 책의 내용을 정하고 캐릭터들의 이름을 정하고 책의 이름을 정하고 표지를 만들고 학기 초부터 쓰기 시작해 학기 말까지 책을 쓰고 있는 지금 책에 정말 많은 정이 들었고 정이 든 만큼 조금 더 좋은 글로 만들어 주지 못해, 조금 더 좋은 표지로 만들어 주지 못한 점이 정말 많이 아쉽다는 생각을 하고 있어요.

킨교스쿠이라는 단어에 대해 모르는 사람들이 많을 거란 생각이 들었어요. 킨교스쿠이는 일본의 전통 놀이인 금붕어 잡기를

뜻하는 말이에요. 일본 축제에서 많이 볼 수 있죠. 저는 킨교스쿠이라는 단어로 자신이 진정으로 즐거워하는 일은 잡기 어렵다는 말을 전하고 싶었어요.